Orações do povo de Deus

Orações do povo de Deus

Compilação de
FREI ORLANDO BERNARDI

Petrópolis

© 1991, 2018, Editora Vozes Ltda.
Rua Frei Luís, 100
25689-900 Petrópolis, RJ
www.vozes.com.br
Brasil

32ª edição, 2018.

1ª reimpressão, 2023.

Todos os direitos reservados. Nenhuma parte desta obra poderá ser reproduzida ou transmitida por qualquer forma e/ou quaisquer meios (eletrônico ou mecânico, incluindo fotocópia e gravação) ou arquivada em qualquer sistema ou banco de dados sem permissão escrita da editora.

IMPRIMATUR
† José Fernandes Veloso
Bispo Diocesano
Petrópolis, 26 de março de 1991

CONSELHO EDITORIAL

Diretor
Volney J. Berkenbrock

Editores
Aline dos Santos Carneiro
Edrian Josué Pasini
Marilac Loraine Oleniki
Welder Lancieri Marchini

Conselheiros
Elói Dionísio Piva
Francisco Morás
Gilberto Gonçalves Garcia
Ludovico Garmus
Teobaldo Heidemann

Secretário executivo
Leonardo A.R.T. dos Santos

Diagramação: Sheilandre Desenv. Gráfico
Revisão: Nilton Braz da Rocha
Capa: Idée Arte e Comunicação
Ilustrações da capa: Afresco da cena "Apascenta as minhas ovelhas".
© Renata Sedmakova | Shutterstock

ISBN 978-85-326-5813-5

Este livro foi composto e impresso pela Editora Vozes Ltda.

Sumário

Apresentação, 7

Orações quotidianas, 9

Orações para diversas circunstâncias, 23

Orações à Santíssima Trindade, 53

Orações a Jesus Cristo, 55

Orações ao Espírito Santo, 63

Orações a Nossa Senhora, 69

Ladainhas, 109

Devoção às almas do purgatório, 121

Devoção aos santos, 125

Índice, 167

Apresentação

Um dia os discípulos de Jesus se voltaram para Ele e lhe exprimiram o mais simples, mais profundo e mais humano desejo: "Senhor, ensina-nos a rezar" (Lc 11,1). Ensinou-lhes o Pai-nosso.

Os discípulos, naquele momento, foram a expressão de um movimento constante e contínuo de gente que se volta para Deus em busca de socorro.

De maneiras diferentes, cada um, porém, a seu modo exterioriza a mesma necessidade. Uns gritam e esbravejam como o Jó da Bíblia; outros balbuciam apenas; outros levantam os braços em direção Àquele que os pode ajudar; outros se recolhem em si mesmos e, como a suavidade da aragem, tentam com movimentos lentos e seguros encontrar-se com o Infinito.

Há quem, como o fariseu da parábola, faça da oração um hino de louvor próprio, e há também aquele que, como o publicano, torne-se a personificação da própria humildade orante.

Em todos, porém, há em comum a necessidade de encontrar um ponto de apoio no grande Deus para que a própria vida, em sua limitação, seja menos áspera.

As orações do povo de Deus são, sem sombra de dúvida, a expressão de uma busca generosa e amorosa de

Deus e, ao mesmo tempo, a revelação da necessidade que o ser humano sente em se libertar de seus limites mais angustiantes da vida.

Encontramos nelas a alma simples de um povo que sonha com o mundo novo do Cristo, onde não mais haverá "nem luto, nem pranto, nem fadiga" (Ap 21,4).

Existe nelas uma vontade imensa de entrar em comunhão com o projeto do Pai do Céu, mas ainda experimentam a angústia de sua impotência frente aos problemas do cotidiano. Daí ser sua oração a mais generosa e simples tanto na ação de graças como na petição. Mas em tudo será sempre a expressão do humano em busca de Deus.

Fr. Orlando Bernardi

Orações quotidianas

Sinal da cruz

Pelo sinal da santa cruz, livrai-nos, Deus nosso Senhor, dos nossos inimigos. Em nome do Pai, do Filho e do Espírito Santo. Amém.

Pai-nosso

Pai nosso que estais nos céus, santificado seja vosso nome, venha a nós o vosso reino, seja feita a vossa vontade assim na terra como no céu. O pão nosso de cada dia nos dai hoje, perdoai-nos as nossas ofensas assim como nós perdoamos a quem nos tem ofendido, e não nos deixeis cair em tentação, mas livrai-nos do mal. Amém.

Ave-Maria

Ave Maria, cheia de graça, o Senhor é convosco, bendita sois vós entre as mulheres, e bendito é o fruto do vosso ventre, Jesus. Santa Maria, Mãe de Deus, rogai por nós, pecadores, agora e na hora da nossa morte. Amém.

Glória-ao-Pai

Glória ao Pai, ao Filho e ao Espírito Santo. Como era no princípio, agora e sempre. Amém.

Credo

Creio em Deus Pai todo-poderoso, criador do céu e da terra; e em Jesus Cristo, seu único Filho, nosso Senhor; que foi concebido pelo poder do Espírito Santo; nasceu da Virgem Maria, padeceu sob Pôncio Pilatos, foi crucificado, morto e sepultado. Desceu à mansão dos mortos; ressuscitou ao terceiro dia; subiu aos céus, está sentado à direita de Deus Pai todo-poderoso, donde há de vir a julgar os vivos e os mortos; creio no Espírito Santo, na Santa Igreja Católica, na comunhão dos Santos, na remissão dos pecados, na ressurreição da carne, na vida eterna. Amém.

Vinde, Espírito Santo

V./ Vinde, Espírito Santo, enchei os corações dos vossos fiéis
R./ e acendei neles o fogo de vosso amor.
V./ Enviai o vosso Espírito e tudo será criado,
R./ e renovareis a face da terra.
Oremos: Ó Deus, que iluminais os corações dos vossos fiéis com as luzes do Espírito Santo, concedei-nos que no mesmo Espírito saibamos o que é reto e gozemos sempre de suas consolações. Por Nosso Senhor Jesus Cristo.

Salve-Rainha

Salve, Rainha, Mãe de misericórdia, vida, doçura e esperança nossa, salve! A vós bradamos os degredados filhos de Eva. A vós suspiramos, gemendo e chorando neste vale de lágrimas. Eia, pois, advogada nossa, esses vossos olhos misericordiosos a nós volvei, e depois deste desterro mostrai-nos Jesus, bendito fruto do vosso ventre, ó clemente, ó piedosa, ó doce e sempre Virgem Maria.
V./ Rogai por nós, Santa Mãe de Deus.
R./ Para que sejamos dignos das promessas de Cristo.

O Anjo do Senhor

V./ O anjo do Senhor anunciou a Maria.
R./ E ela concebeu do Espírito Santo.
Ave Maria...
V./ Eis aqui a serva do Senhor.
R./ Faça-se em mim segundo a vossa Palavra.
Ave Maria...
V./ O Verbo se fez carne.
R./ E habitou entre nós.
Ave Maria...
V./ Rogai por nós, Santa Mãe de Deus.
R./ Para que sejamos dignos das promessas de Cristo.
Oremos: Infundi, Senhor, como vos pedimos, a vossa graça em nossas almas, para que nós, que pela anunciação do anjo viemos ao conhecimento da encarnação de Jesus Cristo, vosso Filho, por sua paixão e morte sejamos conduzidos à glória da ressurreição. Pelo mesmo Cristo, Senhor nosso. Amém.

Rainha do Céu

V./ Rainha do céu, alegrai-vos, aleluia.

R./ Porque quem merecestes trazer em vosso puríssimo seio, aleluia.

V./ Ressuscitou como disse, aleluia.

R./ Rogai por nós a Deus, aleluia.

V./ Exultai e alegrai-vos, ó Virgem Maria, aleluia.

R./ Porque o Senhor ressuscitou verdadeiramente, aleluia.

Oremos: Ó Deus, que vos dignastes alegrar o mundo com a ressurreição do vosso Filho Jesus Cristo, Senhor Nosso, concedei-nos, vo-lo suplicamos, que por sua Mãe, a Virgem Maria, alcancemos os prazeres da vida eterna. Pelo mesmo Senhor Jesus Cristo. Amém.

Alma de Cristo

Alma de Cristo, santificai-me.

Corpo de Cristo, salvai-me.

Sangue de Cristo, inebriai-me.

Água do lado de Cristo, lavai-me.

Paixão de Cristo, confortai-me.

Ó bom Jesus, ouvi-me.

Dentro das vossas chagas escondei-me.

Não permitais que eu me separe de Vós.

Do espírito maligno defendei-me.

Na hora da morte, chamai-me.

E mandai-me ir para Vós.

Para que com os vossos santos vos louve

Por todos os séculos dos séculos. Amém.

Oração diante do crucifixo

Eis-me aqui, ó bom e dulcíssimo Jesus! De joelhos me prostro em vossa presença e vos peço e suplico, com todo o fervor de minha alma, que vos digneis gravar no meu coração os mais vivos sentimentos de fé, esperança e caridade, verdadeiro arrependimento de meus pecados e firme propósito de emenda, enquanto por mim próprio considero e, em espírito, contemplo, com grande afeto e dor, as vossas cinco chagas, tendo presentes as palavras que já o Profeta Davi punha em vossa boca, ó bom Jesus: "Transpassaram minhas mãos e meus pés; contaram todos os meus ossos".

Ato de Louvor diante do Santíssimo Sacramento

Bendito seja Deus.
Bendito seja seu santo nome.
Bendito seja Jesus Cristo, verdadeiro Deus e verdadeiro homem.
Bendito seja o nome de Jesus.
Bendito seja o seu sacratíssimo coração.
Bendito seja Jesus no Santíssimo Sacramento do altar.
Bendita seja a grande mãe de Deus, Maria Santíssima.
Bendita seja sua santa e imaculada Conceição. Bendita seja sua gloriosa assunção.
Bendito seja o nome de Maria, virgem e mãe. Bendito seja São José, seu castíssimo esposo. Bendito seja Deus, nos seus anjos e nos seus santos.

Pela Igreja

Deus e Senhor nosso, protegei a vossa Igreja, dai-lhe santos pastores e dignos ministros. Derramai as vossas bênçãos sobre o nosso Santo Padre, o papa, sobre o nosso bispo, sobre o nosso pároco, sobre todo o clero, sobre o chefe da nação e do Estado, e sobre todas as pessoas constituídas em dignidade para que governem com justiça. Dai ao povo brasileiro paz constante e prosperidade completa. Favorecei com os efeitos contínuos de vossa bondade o Brasil, este bispado, a paróquia em que habitamos, a cada um de nós em particular e a todas as pessoas por quem somos obrigados a orar, ou que se recomendaram às nossas orações. Tende misericórdia das almas dos fiéis que padecem no purgatório; dai-lhes, Senhor, o descanso e a luz eterna.

Pai-nosso, Ave-Maria e Glória-ao-Pai.

À Santíssima Trindade

Santíssima e augustíssima Trindade, um só Deus em três pessoas, creio que estais aqui presente. Eu vos adoro com os sentimentos da mais profunda humildade e vos rendo de todo o meu coração as homenagens que são devidas à vossa soberana majestade. Meu Deus e Senhor, humildemente vos agradeço todos os benefícios que até aqui me tendes feito, reconhecendo que por particular graça me fizestes chegar a este dia, o qual quero empregar em vosso santo serviço. Para este fim, vos ofereço desde já todos os meus pensamentos, palavras e ações, todos os meus trabalhos e moléstias, como também proponho fugir do pecado. Concedei-me, Senhor, vos suplico, vossa graça, para que guarde esta resolução e não pratique ação alguma que não seja animada de vosso amor e que não vá dirigida à vossa maior glória. Amém.

Consagração a Nossa Senhora

Oração (1)

Ó Senhora minha, ó minha mãe! Eu me ofereço todo a vós. E, em prova de minha devoção para convosco, vos consagro meus olhos, meus ouvidos, minha boca, meu coração e inteiramente todo o meu ser. E como assim sou vosso, ó boa mãe, guardai-me e defendei-me como coisa e propriedade vossa.

Oração (2)

À vossa proteção recorremos, santa Mãe de Deus. Não desprezeis as nossas súplicas em nossas necessidades; mas livrai-nos sempre de todos os perigos, ó virgem gloriosa e bendita! Ó Senhora nossa, medianeira nossa, intercessora nossa! Reconciliai-nos com vosso Filho, apresentai-nos a vosso Filho. Santa Maria, mãe de Deus, rogai por nós, pecadores, agora e na hora de nossa morte. Amém.

Oração (3)

Lembrai-vos que vos pertenço,
Terna mãe, Senhora nossa!
Ah! guardai-me e defendei-me,
Como coisa própria vossa. Amém.

Consagração da família a Nossa Senhora

Ó Virgem imaculada, nós vos consagramos hoje o nosso lar e todos os que nele habitam. Que a nossa casa seja, como a de Nazaré, uma morada de paz e de felicidade na prática da caridade e no pleno abandono à Divina

Providência. Sede o nosso modelo, ó Maria, regrai nossos pensamentos, nossos atos e toda a nossa vida. É bem medíocre o tributo do nosso amor, mas vós aceitareis pelo menos a homenagem de nossa boa vontade.

3 Ave-Marias.

Ó Maria, concebida sem pecado, rogai por nós que recorremos a vós.

Lembrai-vos (de São Bernardo)

Lembrai-vos, ó piíssima Virgem Maria, que nunca se ouviu dizer que algum daqueles que têm recorrido à vossa proteção, implorado a vossa assistência e reclamado o vosso socorro, fosse por vós desamparado. Animado, pois, com igual confiança, a vós, ó Virgem entre todas singular, como a Mãe recorro, de vós me valho, e, gemendo sob o peso de meus pecados, me prostro a vossos pés. Não desprezeis as minhas súplicas, ó Mãe do Verbo de Deus humanado, mas dignai-vos de as ouvir propícia e de me alcançar o que vos rogo. Amém.

Orações de São Francisco
À entrada e saída da igreja

Nós vos adoramos, santíssimo Senhor Jesus Cristo, aqui e em todas as igrejas do mundo, e vos bendizemos, porque pela vossa santa cruz remistes o mundo.

I

Senhor, quem sois Vós e quem sou eu? Vós, o altíssimo Senhor do céu e da terra; e eu, um miserável vermezinho, vosso ínfimo servo.

II

Grande e magnífico Deus, meu Senhor Jesus Cristo, iluminai o meu espírito e dissipai as trevas da minha alma! Dai-me uma fé íntegra, uma esperança firme, uma caridade perfeita! Concedei, meu Deus, que eu vos conheça muito, para poder agir sempre segundo os vossos ensinamentos e de acordo com a vossa santíssima vontade.

III

Absorvei, Senhor, eu vos suplico, o meu espírito, e, pela suave e ardente força do vosso amor, desafeiçoai-me de todas as coisas que debaixo do céu existem, a fim de que eu possa morrer por vosso amor, ó Deus, que por meu amor vos dignastes morrer.

IV

Senhor

Fazei-me instrumento de vossa paz.
Onde houver ódio, que eu leve o amor;
Onde houver ofensa, que eu leve o perdão;
Onde houver discórdia, que eu leve a união;
Onde houver dúvida, que eu leve a fé;
Onde houver erro, que eu leve a verdade;
Onde houver desespero, que eu leve a esperança;
Onde houver tristeza, que eu leve a alegria;
Onde houver trevas, que eu leve a luz.
Ó Mestre,
Fazei que eu procure mais consolar, que ser consolado;
compreender, que ser compreendido; amar, que ser amado.

Pois é dando que se recebe, é perdoando que se é perdoado, e é morrendo que se vive para a vida eterna.

Bênção de São Francisco

Que o Senhor te abençoe e te proteja.
Que o Senhor te mostre a sua face e tenha misericórdia de ti.
Que o Senhor volte os seus olhos para ti e te dê a sua paz.
Que o Senhor te abençoe.

Anjo da Guarda

Lembre-se, meu anjo da guarda, que, tendo o Senhor lhe confiado minha pessoa, você é meu protetor e amigo. Por isso, cheio de confiança em sua bondade que jamais solicitei em vão, recorro, meu bom amigo e irmão, apesar de haver muitas vezes desconhecido seus ternos cuidados, imploro seu poderoso auxílio; não me recuse o meu pedido, santo amigo, ouça meus rogos e propício conceda-me esta graça. Amém.

São Miguel Arcanjo

Glorioso príncipe do céu, protetor das almas, eu vos chamo e invoco para que me livreis de toda adversidade e de todo pecado, fazendo-me progredir no serviço de Deus e conseguindo-me dele a graça da perseverança final, que me faça gozá-lo eternamente. Amém.
São Miguel Arcanjo, protegei-nos no combate, cobri-nos com vosso escudo contra os embustes e ciladas do malig-

no. Subjugue-o, Deus, instantemente o pedimos. E vós, príncipe da milícia celeste, libertai-nos dele e das outras maldades que andam pelo mundo. Amém.

São Gabriel Arcanjo

Glorioso Arcanjo São Gabriel, chamado a fortaleza de Deus, o mais excelente príncipe entre os espíritos angélicos, embaixador do Altíssimo, que merecia ser escolhido para anunciar à Santíssima Virgem a Encarnação da Palavra divina em suas entranhas mais puras: peço-lhe que, por favor, rogue a Deus por mim, miserável pecador, para que, conhecendo e adorando este mistério inefável, eu possa desfrutar do fruto da redenção divina na glória celestial. Amém.

São Rafael Arcanjo

São Rafael, cujo nome significa médico de Deus, vós que fostes encarregado de acompanhar o jovem Tobias em sua viagem e que, ao voltar, curastes a cegueira do pai de Tobias; vós que ajudastes e socorrestes os pais de Tobias, fazendo que se realizassem seus desejos e aspirações, nós vos imploramos e pedimos vossa assistência. Sede nosso protetor perante Deus, pois vós sois o caridoso médico que Ele envia aos seus fiéis. São Rafael, curai-me ... das minhas doenças. Restituí-me a saúde, pois não deixarei de vos render graças. Assim seja.
Pai-nosso, Ave-Maria e Glória-ao-Pai.

Os Dez Mandamentos

1. Amar a Deus sobre todas as coisas.
2. Não tomar seu santo nome em vão.
3. Guardar domingos e festas.
4. Honrar pai e mãe.
5. Não matar.
6. Não pecar contra a castidade.
7. Não furtar.
8. Não levantar falso testemunho.
9. Não desejar a mulher do próximo.
10. Não cobiçar as coisas alheias.

Os Cinco Mandamentos da Igreja

1. Ouvir missa inteira nos domingos e festas de guarda.
2. Confessar-se ao menos uma vez cada ano.
3. Comungar ao menos pela Páscoa da Ressurreição.
4. Jejuar e abster-se de carne quando manda a Santa Madre Igreja.
5. Pagar os dízimos segundo o costume.

Ato de Fé

Meu Deus, creio firmemente em todas as verdades que nos revelaste e que nos ensinas por tua Igreja, porque não te podes enganar, nem nos enganar.

Ato de Esperança

Meu Deus, amo-te com firme confiança que me concederás, pelo mérito de Jesus Cristo, tua graça neste mundo e a felicidade eterna no outro, porque assim o prometeste e sempre és fiel em tuas promessas.

Ato de Caridade

Meu Deus, amo-te com todo o meu coração e sobre todas as coisas, porque és infinitamente bom e amo a meu próximo como a mim mesmo por teu amor.

Ato de Contrição

Meu Deus, eu me arrependo de todo o coração de vos ter ofendido, porque sois tão bom e amável. Prometo, com vossa graça, nunca mais pecar. Meu Jesus, misericórdia.

Ato de Fé, Esperança e Caridade

Meu Deus, eu creio em Vós, porque sois a verdade infalível.
Meu Deus, eu espero em Vós, porque sois a bondade infinita.
Meu Deus, vos amo, porque sois o sumo e amantíssimo bem e digno de todo o meu amor. Pai-nosso, Ave-Maria...

Orações para diversas circunstâncias

Orações da manhã

Saudação do dia

Deus vos salve, luz do dia,
Deus vos salve, quem nos cria,
Deus vos salve, meu Jesus
Filho da Virgem Maria.

Quando vem rompendo a aurora,
No amanhecer do dia,
Me encomendo a Jesus Cristo
Filho da Virgem Maria.

Oferecimento do dia

Ofereço-vos, ó meu Deus, em união com o santíssimo Coração de Jesus, por meio do Coração Imaculado de Maria, as orações e o trabalho, as alegrias e o descanso, as incomodidades e os sofrimentos da vida, neste dia, em reparação das nossas ofensas e por todas as intenções, pelas quais o mesmo Divino Coração está continuamente a interceder e sacrificar-se por nós em nossos altares.

Vo-los ofereço, em particular, pelas intenções da vossa e nossa santa Igreja. Amém.

Orações da noite

Agradecimento

Creio, meu Deus, que estais aqui presente, vos adoro e reconheço por meu criador e meu soberano Senhor, a quem devo tudo o que sou. Dou-vos infinitas graças por todos os benefícios que de vossa bondade tenho recebido, hoje e sempre; por me terdes criado e remido com o sangue de vosso Filho Jesus Cristo, e conservado até agora para fazer penitência e salvar-me. Creio em Vós, porque sois infinitamente bom; amo-vos de todo o coração, porque sois infinitamente amável, e amo a meu próximo como a mim mesmo, por amor de Vós.

Ato de contrição

Senhor, meu Jesus Cristo, Deus e homem verdadeiro, criador e redentor nosso, por serdes Vós quem sois sumamente bom e digno de ser amado sobre todas as coisas; e porque vos amo e estimo, pesa-me, Senhor, de todo meu coração, de vos ter ofendido; proponho firmemente, ajudado com vossa divina graça, emendar-me e não mais vos tornar a ofender, e espero alcançar o perdão de minhas culpas por vossa infinita misericórdia. Amém.

Oração para o final do dia

Visitai, Senhor, vos rogamos, esta morada, afastai dela todas as ciladas do inimigo, morem nela vossos santos anjos, para conservar-nos em paz, e esteja sempre sobre nós vossa santa bênção.

Ao deitar

Com Deus me deito
Com Deus me levanto
Com a graça de Deus
E do divino Espírito Santo.
Nossa Senhora me cubra com seu manto.
Ó Senhor, meu Jesus Cristo,
Filho da Virgem Maria,
Me acompanha esta noite,
Amanhã e todo o dia.

Antes das refeições

Abençoai-nos, Senhor, e a esta comida que a vossa liberalidade nos concede. Em nome do Pai, do Filho e do Espírito Santo. Amém.

* * *

Ó Deus, Pai de misericórdia, para dar-nos a vida quisestes que o vosso Filho assumisse a condição humana; abençoai estes vossos dons com que vamos restaurar o corpo, e consolidai as nossas forças, enquanto esperamos, vigilantes, a gloriosa vinda de Cristo. Por Cristo Nosso Senhor. Amém.

* * *

Nós vos damos graças, Senhor, por nutrir-nos com estes alimentos; dignai-vos socorrer os necessitados e reunir-nos, todos, à mesa feliz do vosso reino. Por Cristo Nosso Senhor. Amém.

* * *

Senhor, nosso Deus, que socorreis os vossos filhos com amor paterno; abençoai a nós e a estes dons, que de vossa bondade recebemos; e concedei que todos os povos possam gozar dos benefícios da vossa providência. Por Cristo Nosso Senhor. Amém.

* * *

Ó Deus, amais a vida, alimentais as aves do céu e vestis os lírios do campo; nós vos bendizemos por todas as criaturas e por este alimento que vamos tomar; e humildemente vos imploramos, Senhor, não deixeis, por vossa bondade, faltar a ninguém o alimento necessário. Por Cristo Nosso Senhor. Amém.

* * *

De Vós, Senhor, procedem todos os bens; abençoai este alimento que recebemos com ânimo agradecido. Amém.

Depois das refeições

Graças vos damos, Deus onipotente, por todos os benefícios de Vós recebidos e por estes alimentos, que sirvam para nos sustentar em vosso serviço. Glória a Deus, paz aos vivos, descanso eterno aos falecidos. E Vós, Senhor, tende compaixão de nós. Graças a Deus.

* * *

Nós vos damos graças, ó Deus todo-poderoso, por nos terdes confortado com os dons da vossa Providência; concedei que se confirme também o espírito enquanto o corpo restaura as forças. Por Cristo Nosso Senhor. Amém.

* * *

Ó Deus, Vós nos ensinais que a vida do homem não se sustenta só de pão, mas de toda palavra que sai da vossa boca; ajudai-nos, pois, a elevar os nossos corações ao alto e, confirmados por vossas forças, amar-vos sinceramente nos irmãos. Por Cristo Nosso Senhor. Amém.

* * *

Nós vos agradecemos, Senhor, doador de todos os bens, por nos terdes reunido em torno desta mesa; concedei que, restaurando as forças do corpo, mereçamos fazer alegremente nossa caminhada terrestre e um dia chegar, felizmente, ao banquete celestial. Por Nosso Senhor Jesus Cristo. Amém.

* * *

Nós vos damos graças, Senhor, por refazerdes nossas forças nesta mesa; concedei que os efeitos corporais do alimento sirvam igualmente para o nosso bem-estar espiritual. Vós que viveis e reinais para sempre. Amém.

* * *

Dignai-vos, Senhor, restaurar as forças de todos os homens com o alimento necessário, para que conosco vos deem graças. Amém.

Para antes de uma viagem

Senhor, todo-poderoso e Deus de misericórdia, guiai-nos pelo caminho da paz e prosperidade. Não permitais que nos encaminhemos a algum lugar em que possamos ofender-vos. Acompanhe-nos vosso santo anjo em nossa viagem para que voltemos à nossa morada sãos e salvos, sem contratempo nem desgraça. Amém.

Pela família

Oração (1)

Amorosíssimo Jesus, que com vossas admiráveis virtudes e com os exemplos de vossa vida doméstica santificastes a família por Vós escolhida neste mundo, dignai-vos lançar vosso piedoso olhar sobre essa vossa família, que implora a vossa misericórdia. Lembrai-vos que esta família vos pertence, porque a Vós se dedicou e consagrou de um modo especial. Assisti-a benigno, defendei-a de todos os perigos, socorrei-a nas suas necessidades e dai-lhe a graça de perseverar na imitação de vossa santa família, para que, servindo-vos fielmente e amando-vos neste mundo, possa louvar-vos eternamente no céu. Maria, Mãe dulcíssima, recorremos à vossa intercessão, confiados que vosso divino Filho ouvirá as nossas orações. E vós, glorioso patriarca São José, socorrei-nos com a vossa poderosa mediação e oferecei nossos votos a Jesus pelas mãos de Maria. Amém.

Oração (2)

Maria, Mãe de Jesus, a vós dirijo, com profunda fé e grande devoção, a minha súplica: abençoai meu marido e meus filhos, e alcançai para eles a proteção dos santos.

Santa Maria, Mãe de Deus, rogai por nós.
São José, pai adotivo de Jesus, rogai por nós.

Nossa Senhora pelas crianças

Ó Maria, Mãe de Deus e nossa Mãe santíssima, abençoai nossas crianças que vos são consagradas. Guardai-as com cuidado maternal, para que nenhuma delas se perca. Defendei-as contra as ciladas do inimigo e contra os escândalos do mundo, para que sejam sempre humildes, mansas e puras. Ó Mãe nossa, Mãe de misericórdia, rogai por nós e, depois desta vida, mostrai-nos Jesus, bendito fruto de vosso ventre. Ó clemente, ó piedosa, ó doce sempre virgem Maria. Amém.

Pelos pais

Senhor, meu Deus, Vós quereis que respeite, ame e obedeça a meus queridos pais. Peço-vos que Vós mesmo me inspireis o respeito e a reverência que lhes devo e fazei que lhes seja filho amante e obediente. Recompensai-lhes todos os sacrifícios, trabalhos e cuidados, que por minha causa têm suportado, e retribui-lhes todo o bem que me fizeram no corpo e na alma, pois eu por mim não posso pagar-lhes tudo isto. Conservai-lhes uma longa vida no gozo de perfeita saúde do corpo e da alma. Deixai-os participar da bênção copiosa, que derramastes sobre os patriarcas. Fazei-os crescer na virtude e prosperar em tudo, que por vossa honra empenharem, a fim de que um dia tornemos a ver-nos no céu, para cantar os vossos louvores por todos os séculos dos séculos. Amém.

Por um doente

Onipotente e benigníssimo Deus, que sois a salvação eterna de todos os que creem em Vós, escutai piedoso as orações que vos dirigimos por este nosso irmão enfermo, vosso servo. Afastai dele tudo quanto o aflige e fazei, em vossa misericórdia, que todos os remédios aplicados ao seu mal lhe sejam salutares. Em Vós, único autor e conservador da vida e árbitro supremo de nossa sorte, pomos toda a nossa confiança; e, embora nos esforcemos, por todos os meios possíveis, por lhe restabelecer a saúde, todavia, é de Vós só que tudo esperamos. Ouvi, Senhor, nossas preces e as suas, para que alegres possamos com ele prestar-vos a homenagem de nosso reconhecimento.

O Senhor Jesus Cristo esteja
Do seu lado para defendê-lo,
Dentro de você para conservá-lo,
Diante de você para conduzi-lo,
Atrás de você para guardá-lo,
Acima de você para abençoá-lo,
Ele que vive e reina pelos séculos dos séculos. Amém.

Pelas vocações

Oração (1)

Divino Jesus, que nos ensinastes a rogar ao Senhor da seara que mande operários para a sua vinha, dignai-vos suscitar nas famílias cristãs muitas vocações sacerdotais e religiosas, ilustrai a fé dos cristãos, a fim de que compreendam a grandeza sublime do santo ministério e for-

talecei a vontade dos escolhidos para que sejam animosos em seguir o vosso chamamento. Virgem santíssima, intercedei pelos sacerdotes e religiosos e interponde o vosso valioso patrocínio em favor das vocações.
Para celebrar sem fim o divino sacrifício,
R. Dai-nos sacerdotes, Senhor!
Para vos conduzir às criancinhas,
Para abrir o santo evangelho aos homens,
Para dar ao pecador contrito o vosso perdão,
Para partir o pão da vossa palavra às almas esfomeadas,
Para acudir aos moribundos na derradeira hora,
Para benzer os lares, as oficinas e os campos,
Para expandir o vosso reino no coração dos homens,
Para consolar os tristes e aflitos,
Para dar paz às consciências martirizadas pela dúvida e pelo remorso,
Para animar os desalentados,
R. Dai-nos sacerdotes, Senhor!

Oração (Beato Paulo VI) (2)

Jesus, Mestre divino, que chamastes os apóstolos a vos seguir, continuai a passar pelos nossos caminhos, pelas nossas famílias, pelas nossas escolas, e continuai a repetir o convite a muitos de nossos jovens.
Dai coragem às pessoas convidadas.
Dai força para que vos sejam fiéis como apóstolos leigos, como sacerdotes, como religiosos e religiosas para o bem do Povo de Deus e de toda a humanidade.
Amém.

O Santo Rosário

O rosário é uma forma de oração vocal e mental sobre os mistérios de nossa redenção, dividido entre 20 dezenas. A recitação de cada dezena é acompanhada pela meditação de um dos 20 eventos ou "mistérios".

Como se reza o rosário

1) Faça o sinal da cruz e reze o Creio.
2) Oração inicial e o Pai-nosso.
3) Reze três Ave-Marias.
4) Reze o Glória-ao-Pai.
5) Anuncie o primeiro mistério e reze o Pai-nosso.
6) Reze dez Ave-Marias enquanto medita o mistério.
7) Reze o Glória-ao-Pai.
8) Depois de cada dezena, reze a oração seguinte como nos pediu a Virgem em Fátima: "Ó meu Bom Jesus, perdoai-nos, livrai-nos do fogo do inferno, levai as almas todas para o céu, e socorrei principalmente as que mais precisarem".
9) Anuncie o segundo mistério. Depois reze o Pai-nosso. Repita os números 6, 7 e 8 (cf. acima). Continue com o terceiro, o quarto e o quinto mistérios da mesma forma, até terminar.
10) Reze a Salve-rainha depois de terminar as cinco dezenas. Nota: De modo geral, rezam-se os Mistérios Gozosos às segundas e sábados, os Mistérios Luminosos às quintas-feiras, os Mistérios Dolorosos às terças e sextas-feiras e os Mistérios Gloriosos às quartas-feiras e domingos.

Oração inicial

Senhor Jesus, disponho-me a rezar agora os mistérios do terço/rosário. Pela meditação dos mistérios da nossa redenção espero poder aumentar minha fé e minha caridade. Concedei-me uma piedosa e recolhida oração pela intercessão de vossa Mãe Santíssima.

I. Mistérios Gozosos
(segundas-feiras e sábados)

1º) No primeiro mistério contemplamos como a Virgem Maria foi saudada pelo anjo e lhe foi anunciado que havia de conceber e dar à luz Cristo, nosso Redentor (Lc 1,26-38).
Pai-nosso, 10 Ave-Marias, Glória-ao-Pai.

2º) No segundo mistério contemplamos como a Virgem Maria foi visitar sua prima Isabel e ficou com ela três meses (Lc 1,39-56).
Pai-nosso, 10 Ave-Marias, Glória-ao-Pai.

3º) No terceiro mistério contemplamos o nascimento de Jesus em Belém e, como por não achar lugar na estalagem da cidade, Maria colocou-o numa manjedoura (Lc 2,1-15).
Pai-nosso, 10 Ave-Marias, Glória-ao-Pai.

4º) No quarto mistério contemplamos a apresentação de Jesus no templo, onde estava o velho Simeão, que, tomando-o em seus braços, louvou e deu muitas graças a Deus (Lc 2,22-32).
Pai-nosso, 10 Ave-Marias, Glória-ao-Pai.

5º) No quinto mistério contemplamos Jesus encontrado no templo entre os doutores (Lc 2,42-52).
Pai-nosso, 10 Ave-Marias, Glória-ao-Pai.

II. Mistérios Luminosos
(quintas-feiras)

1º) No primeiro mistério contemplamos o batismo de Jesus no Rio Jordão (Mt 3,13-17).
Pai-nosso, 10 Ave-Marias, Glória-ao-Pai.

2º) No segundo mistério contemplamos a autorrevelação de Jesus nas Bodas de Caná da Galileia (Jo 2,1-11).
Pai-nosso, 10 Ave-Marias, Glória-ao-Pai.

3º) No terceiro mistério contemplamos o anúncio do Reino de Deus por Jesus e seu convite à conversão (Mc 1,14-15).
Pai-nosso, 10 Ave-Marias, Glória-ao-Pai.

4º) No quarto mistério contemplamos a transfiguração de Jesus no Monte Tabor (Lc 9,28-35).
Pai-nosso, 10 Ave-Marias, Glória-ao-Pai.

5º) No quinto mistério contemplamos a instituição da Eucaristia como expressão sacramental do mistério pascal (Mc 14,22-24; Lc 22,14-20).
Pai-nosso, 10 Ave-Marias, Glória-ao-Pai.

III. Mistérios Dolorosos
(terças e sextas-feiras)

1º) No primeiro mistério contemplamos a agonia mortal de Jesus no horto (Mc 14,32-42).
Pai-nosso, 10 Ave-Marias, Glória-ao-Pai.

2º) No segundo mistério contemplamos como Jesus foi cruelmente açoitado e flagelado na casa de Pilatos (Mt 27,26; Jo 19,1).
Pai-nosso, 10 Ave-Marias, Glória-ao-Pai.

3º) No terceiro mistério contemplamos como Jesus foi coroado de agudos espinhos por seus algozes (Mt 27,27-30).
Pai-nosso, 10 Ave-Marias, Glória-ao-Pai.

4º) No quarto mistério contemplamos como Jesus, sendo condenado à morte, carregou com grande paciência a cruz que lhe puseram nos ombros (Jo 19,17).
Pai-nosso, 10 Ave-Marias, Glória-ao-Pai.

5º) No quinto mistério contemplamos a crucificação e morte de Jesus no alto do Calvário (Lc 23,33-46).
Pai-nosso, 10 Ave-Marias, Glória-ao-Pai.

IV. Mistérios Gloriosos
(quartas-feiras e domingos)

1º) No primeiro mistério contemplamos a ressurreição triunfante de Jesus (Mc 16,1-7).
Pai-nosso, 10 Ave-Marias, Glória-ao-Pai.

2º) No segundo mistério contemplamos a ascensão de Jesus aos céus (At 1,6-11).
Pai-nosso, 10 Ave-Marias, Glória-ao-Pai.

3º) No terceiro mistério contemplamos a vinda do Espírito Santo sobre os apóstolos (At 2,1-4).
Pai-nosso, 10 Ave-Marias, Glória-ao-Pai.

4º) No quarto mistério contemplamos a assunção de Maria aos céus (cf. 1Cor 15,20-23.53-55).
Pai-nosso, 10 Ave-Marias, Glória-ao-Pai.

5º) No quinto mistério contemplamos a coroação de Maria Santíssima como Rainha e Senhora dos céus e da terra (cf. Lc 1,46-55; Ap 12,1-18).
Pai-nosso, 10 Ave-Marias, Glória-ao-Pai.

Oração final

Infinitas graças vos damos, soberana princesa, pelos benefícios que todos os dias recebemos de vossas mãos liberais. Dignai-vos, agora e sempre, tomar-nos debaixo de vosso poderoso amparo e, para mais vos obrigar, vos saudamos: Salve, Rainha... (cf. p. 11).

Terço da misericórdia

No princípio: Pai-nosso, Ave-Maria, Credo.

Nas contas grandes:

Eterno Pai, eu vos ofereço o Corpo e Sangue, Alma e Divindade de vosso diletíssimo Filho, Nosso Senhor Jesus Cristo, em expiação dos nossos pecados e do mundo inteiro.

Nas contas pequenas:

Pela sua dolorosa Paixão, tende misericórdia de nós e do mundo inteiro.

No fim do terço (3 vezes):

Deus Santo, Deus Forte, Deus Imortal, tende piedade de nós e do mundo inteiro.

Palavras de Jesus:

"As almas que rezarem este terço serão envolvidas pela minha misericórdia em sua vida e especialmente na hora da morte".

"Prometo à alma que venerar minha misericórdia a vitória sobre seus inimigos. Eu, o Senhor, a protegerei com a minha própria glória. Protegerei, como uma mãe protege seu filhinho, a alma que difundir o culto de minha misericórdia."

Via-sacra

Oração preparatória

Ó doce Jesus, amo-vos porque sois infinitamente bom. Pesa-me, de todo o coração, de vos ter ofendido, a Vós, que sois meu sumo bem.

Ofereço-vos este piedoso exercício em memória do que sofrestes no caminho do Calvário, por amor de mim, que sou indigno pecador. Aplico as indulgências que faço tenção de ganhar a mim e às benditas almas do purgatório, especialmente às que sou obrigado de justiça e caridade. Amém.

I Estação
Jesus é condenado à morte

Por sentença de Pilatos o Senhor do céu e da terra foi despido, preso a uma coluna, açoitado com rigor, vestido de zombaria, escarnecido, coroado com penetrantes espinhos e, finalmente, condenado à morte.

V. Nós vos adoramos, Senhor Jesus Cristo, e vos bendizemos.

R. Porque pela vossa santa cruz remistes o mundo.

Ó meu Jesus, foram meus pecados que à morte vos levaram. Livrai-me por ela da sentença da morte eterna, que tantas vezes mereci.

V. Meu Jesus, misericórdia.

R. Doce Coração de Maria, sede minha salvação.

II Estação
Jesus toma a cruz aos ombros

Puseram sobre os ombros magoados e ensanguentados do Senhor o pesado lenho da cruz, para, no Calvário, cercado de algozes, ser nele pregado.
V. Nós vos adoramos, Senhor Jesus Cristo, e vos bendizemos.
R. Porque pela vossa santa cruz remistes o mundo. Inocentíssimo Jesus, essa cruz não devíeis arrastá-la Vós, mas sim eu, miserável pecador, carregado de todo o gênero de iniquidades. Fazei que chore meus pecados, enquanto me durar a vida.
V. Meu Jesus, misericórdia.
R. Doce Coração de Maria, sede minha salvação.

III Estação
Jesus cai pela primeira vez

Jesus, fatigado do caminho e enfraquecido pela perda de sangue na cruel flagelação e coroação de espinhos, cai sob o peso da cruz, abrindo-se de novo as feridas e chagas.

V. Nós vos adoramos, Senhor Jesus Cristo, e vos bendizemos.

R. Porque pela vossa santa cruz remistes o mundo.

Foi o peso enorme de meus pecados que vos prostrou, ó meu Jesus; quero detestá-los para sempre e deles peço perdão.

V. Meu Jesus, misericórdia.

R. Doce Coração de Maria, sede minha salvação.

IV Estação
Jesus encontra sua aflita Mãe

Indo o amantíssimo Jesus com a cruz em seus ombros, preso com uma grossa corda ao pescoço, em tão lastimoso estado encontrou sua mãe triste e aflita.
V. Nós vos adoramos, Senhor Jesus Cristo, e vos bendizemos.
R. Porque pela vossa santa cruz remistes o mundo.
Ó aflitíssimo Jesus! Ó virgem dolorosa! Fui eu quem com meus pecados dei causa às vossas dores. Fazei que eu tenha vivo arrependimento deles e os chore até ao derradeiro suspiro.
V. Meu Jesus, misericórdia.
R. Doce Coração de Maria, sede minha salvação.

V Estação
Simão Cireneu ajuda Jesus a levar a cruz

Obrigaram Simão Cireneu a ajudá-lo a levar a cruz, não movidos por caridade, mas temendo que Jesus no caminho morresse, pois queriam crucificá-lo vivo, para fazê-lo mais padecer.

V. Nós vos adoramos, Senhor Jesus Cristo, e vos bendizemos.

R. Porque pela vossa santa cruz remistes o mundo.

Ó amorosíssimo Senhor, quem me dera que eu vos ajudasse a levar a cruz.

Fazei que eu de boa mente suporte as cruzes e penas desta vida por amor de Vós e em expiação de meus pecados.

V. Meu Jesus, misericórdia.

R. Doce Coração de Maria, sede minha salvação.

VI Estação
Verônica enxuga o rosto de Jesus

Verônica, vendo coberto de escarros, poeira, suor e sangue o rosto de Jesus, rompe as fileiras da bárbara soldadesca e limpa-o com uma toalha, na qual ficou estampado o retrato do Senhor.

V. Nós vos adoramos, Senhor Jesus Cristo, e vos bendizemos.
R. Porque pela vossa santa cruz remistes o mundo.
Ó benigníssimo Jesus, dos filhos dos homens o mais belo! A que estado vos reduziu vosso amor por mim! Rogo-vos esqueçais minhas ofensas e imprimais em minha alma a lembrança de vossos cruéis sofrimentos.
V. Meu Jesus, misericórdia.
R. Doce Coração de Maria, sede minha salvação.

VII Estação
Jesus cai pela segunda vez

Jesus Cristo, cada vez mais enfraquecido e debilitado, cai a segunda vez em terra por lhe faltarem de todo as forças, e porque o grande peso da cruz lhe tinha feito uma penosa chaga no ombro.

V. Nós vos adoramos, Senhor Jesus Cristo, e vos bendizemos.

R. Porque pela vossa santa cruz remistes o mundo.

Foram as recaídas, ó meu Jesus, que vos fizeram de novo cair em terra. Dai-me a graça de não tornar a cair para o futuro.

V. Meu Jesus, misericórdia.

R. Doce Coração de Maria, sede minha salvação.

VIII Estação
Jesus exorta as mulheres de Jerusalém

Começaram a chorar de sentimento umas piedosas mulheres de Jerusalém, por verem a Jesus em tão lastimoso estado. O salvador, ocupando-se delas bondosamente, recomenda-lhes: "Não choreis por mim, mas sobre vós e vossos filhos".

V. Nós vos adoramos, Senhor Jesus Cristo, e vos bendizemos.

R. Porque pela vossa santa cruz remistes o mundo.

Quem me dera, Jesus, que se abrissem meus olhos em lágrimas para chorar por mim e por Vós. Por mim, o muito que vos tenho ofendido; por Vós, o muito que vos vejo padecer por meu amor.

V. Meu Jesus, misericórdia.

R. Doce Coração de Maria, sede minha salvação.

IX Estação
Jesus cai pela terceira vez

O pobre Jesus, quase morto e não podendo já ter-se em pé, cai pela terceira vez com a cruz em terra, chegando a ferir nas pedras seu santíssimo rosto.

V. Nós vos adoramos, Senhor Jesus Cristo, e vos bendizemos.

R. Porque pela vossa santa cruz remistes o mundo.

Ó meu Jesus, reconheço que as reincidências nas minhas culpas são a causa de vossas repetidas quedas. Ajudai-me a não cair mais em pecado.

V. Meu Jesus, misericórdia.

R. Doce Coração de Maria, sede minha salvação.

X Estação
Jesus é despojado de suas vestes

Arrancaram ao castíssimo Jesus, à vista de grande multidão de espectadores, as vestes, pegadas pelo sangue a tantas chagas que lhe cobriam o sagrado corpo, e deram-lhe a beber vinagre e fel.
V. Nós vos adoramos, Senhor Jesus Cristo, e vos bendizemos.
R. Porque pela vossa santa cruz remistes o mundo.
Ó Jesus, para me restituirdes o vestido nupcial da graça e inocência, consentis que vos dispam à vista de inumerável povo. Perdoai-me e preservai-me do pecado, especialmente de toda a impureza.
V. Meu Jesus, misericórdia.
R. Doce Coração de Maria, sede minha salvação.

XI Estação
Jesus é pregado na cruz

Obedecendo o Senhor aos algozes, estendeu-se sobre a cruz, e eles, com fortes pancadas de martelo, cravaram os pregos em suas mãos e pés, rasgando suas carnes e veias, deslocando seus ossos, derramando seu sangue em rios e esgotando-lhe todas as forças.

V. Nós vos adoramos, Senhor Jesus Cristo, e vos bendizemos.

R. Porque pela vossa santa cruz remistes o mundo.

Ó meu Jesus, pelas mortais angústias que sofrestes na crucificação, fazei que eu mortifique minha carne com todas as suas vontades.

V. Meu Jesus, misericórdia.

R. Doce Coração de Maria, sede minha salvação.

XII Estação
Jesus morre na cruz

O redentor do mundo, depois de três horas de tormentosa agonia, entre insultos e blasfêmias dos espectadores, exala o último suspiro.

V. Nós vos adoramos, Senhor Jesus Cristo, e vos bendizemos.

R. Porque pela vossa santa cruz remistes o mundo.

Ó meu Jesus, eis o cruel algoz que vos matou: fui eu, Senhor; meus pecados foram outros tantos punhais que vos tiraram a vida. Perdoai-me Vós, que tendes os pés atados para me esperar, os braços estendidos para me receber, a cabeça inclinada para me dar um beijo de paz e reconciliação.

V. Meu Jesus, misericórdia.

R. Doce Coração de Maria, sede minha salvação.

XIII Estação
Jesus é descido da cruz

Maria Santíssima recebe em seus braços o corpo de seu divino filho; contempla seu rosto pálido, ensanguentado e desfigurado; vê-lhe os olhos extintos, a boca fechada, o peito, as mãos e os pés transpassados.

V. Nós vos adoramos, Senhor Jesus Cristo, e vos bendizemos.

R. Porque pela vossa santa cruz remistes o mundo.

Ó Maria, aflita mãe, sou eu que devo chorar, por ser o culpado nos tormentos do vosso filho e nas vossas dores. Dignai-vos obter-me o perdão e concedei-me adorar em vossos braços meu Redentor.

V. Meu Jesus, misericórdia.

R. Doce Coração de Maria, sede minha salvação.

XIV Estação
Jesus é depositado no santo sepulcro

O sacratíssimo corpo do Redentor, depois de ser ungido, foi depositado no sepulcro por Maria Santíssima e outros fiéis que a acompanharam no piedoso enterro de seu divino filho.
V. Nós vos adoramos, Senhor Jesus Cristo, e vos bendizemos.
R. Porque pela vossa santa cruz remistes o mundo.
Ó Maria, mãe dolorosa, acrescentei com minha ingratidão novos tormentos à vossa soledade. Prostro-me hoje arrependido a vossos pés, pedindo-vos perdão de minhas culpas. Sede minha protetora junto de vosso filho e recebei-me em vossos braços na hora da minha morte.
V. Meu Jesus, misericórdia.
R. Doce Coração de Maria, sede minha salvação.

Oração final

Ó Jesus, redentor e salvador meu, conheço e confesso que, ainda que vos amara com o amor que vos têm os justos, santos e serafins, não corresponderia ao amor com que por mim destes a vida. Mas, ai de mim!, quantas vezes vos ofendi! Pesa-me de não vos ter amado, mas desprezado e ofendido. Proponho firmemente emendar-me e nunca mais pecar. Ó Maria, minha mãe, intercedei por mim junto ao trono de vosso divino filho. Amém.

Orações à Santíssima Trindade

À Santíssima Trindade

Glória ao Pai que, por seu poder, criou-me à sua imagem e semelhança! Glória ao Filho que, por amor, libertou-me de todas as frustrações e me abriu a porta do céu! Glória ao Espírito Santo que, por sua misericórdia, santificou-me e, continuamente, realiza esta santificação pelas graças que todos os dias recebo de sua infinita bondade.

Glória às três adoráveis pessoas da Trindade, como era no princípio e agora e sempre e por todos os séculos dos séculos!

Eu vos adoro, Trindade beatíssima, com devoção e profundo respeito e vos dou graças por nos haverdes revelado tão glorioso e inefável mistério. Humildemente vos suplico me concedais que, perseverando até à morte nesta crença, possa ver e glorificar no céu o que firmemente creio na terra: um Deus em três pessoas distintas: Pai, Filho e Espírito Santo. Amém.

À Santíssima Trindade (de São Francisco)

Vós sois o santo Senhor e Deus único, que operais maravilhas.

Vós sois o Forte. Vós sois o Grande. Vós sois o Altíssimo.

Vós sois o Rei onipotente, santo Pai, Rei do céu e da terra.

Vós sois o Trino e Uno, Senhor e Deus, Bem universal.

Vós sois o Bem, o Bem Universal, o sumo Bem,
Senhor e Deus, vivo e verdadeiro.

Vós sois a delícia do amor. Vós sois a Sabedoria.

Vós sois a Humildade. Vós sois a Paciência. Vós sois a Segurança. Vós sois o Descanso.

Vós sois a Alegria e o Júbilo.

Vós sois a Justiça e a Temperança. Vós sois a plenitude da Riqueza. Vós sois a Beleza.

Vós sois a Mansidão. Vós sois o Protetor.

Vós sois o Guarda e o Defensor. Vós sois a Fortaleza.

Vós sois o Alívio.

Vós sois nossa Esperança. Vós sois nossa Fé.

Vós sois nossa inefável Doçura.

Vós sois nossa eterna Vida, ó grande e maravilhoso Deus, Senhor onipotente, misericordioso Redentor.

Orações a Jesus Cristo

Cristo Rei

Ó Cristo Jesus, eu vos reconheço como Rei universal. Tudo o que foi feito, para Vós foi criado. Exercei sobre mim todas as vossas prerrogativas. Renovo as minhas promessas do batismo, renunciando a toda espécie de maldade, e prometo viver como bom cristão. E muito particularmente empenhar-me-ei em fazer prevalecer por todos os meios a meu alcance os direitos de Deus e de vossa Igreja. Divino coração de Jesus, ofereço-vos as minhas pobres ações para alcançar que todos os corações reconheçam a vossa realeza sagrada, e que por este modo o reino da vossa paz se estabeleça em todo o mundo. Assim seja.

Consagração ao Sagrado Coração de Jesus
(De Santa Margarida Maria Alacoque)

Eu me dou e consagro ao Sagrado Coração de Nosso Senhor Jesus Cristo: minha pessoa e minha vida, minhas ações, meus trabalhos e meus sofrimentos, a fim de no futuro empregar tudo quanto sou e tenho, unicamente para sua honra, amor e glória. É minha resolução irrevogável ser inteiramente dele e fazer tudo por seu amor, renunciando de todo meu coração a tudo que lhe puder desagradar. Portanto, ó Coração Sagrado, eu vos escolho para objeto de meu amor, para protetor de minha vida, penhor de minha salvação, amparo de minha fragilidade e inconstância, reparação de todas as faltas de minha vida e asilo seguro na hora de minha morte. Coração de ternura e bondade! Sede Vós minha justificação diante de Deus vosso Pai. Coração de amor! Em Vós ponho toda a minha confiança; de minha fraqueza e maldade tudo temo, mas da vossa bondade tudo espero. Consumi, pois, em mim tudo o que puder desagradar-vos ou se opor a Vós. Imprimi o vosso puro amor tão firmemente no meu coração, que nunca mais vos possa esquecer nem nunca possa de Vós me separar. Coração Sagrado, conjuro-vos, por toda a vossa bondade, que o meu nome seja profundamente gravado em Vós; pois quero que toda a minha felicidade e glória seja: viver e morrer no vosso serviço. Amém.

Sagrado Coração de Jesus

Lembrai-vos, ó dulcíssimo Jesus, que nunca se ouviu dizer que alguém, recorrendo com confiança ao vosso Sagrado Coração, implorando a vossa divina assistência e reclamando a vossa infinita misericórdia, fosse por Vós abandonado. Possuído, pois, e animado da mesma confiança, ó Coração Sagrado de Jesus, rei de todos os corações, recorro a Vós, e me prostro diante de Vós. Meu Jesus, pelo vosso precioso sangue e pelo amor de vosso divino Coração, vos peço que não desprezeis as minhas súplicas, mas ouvi-as favoravelmente e dignai-vos atender-me. Amém.

Saudações ao Sagrado Coração de Jesus

Ave, ó Coração de meu Jesus, salvai-me!

Ave, ó Coração de meu Criador, aperfeiçoai-me! Ave, ó Coração de meu salvador, libertai-me! Ave, ó Coração de meu juiz, perdoai-me!

Ave, ó Coração de meu pai, governai-me! Ave, ó Coração de meu mestre, ensinai-me! Ave, ó Coração de meu rei, coroai-me!

Ave, ó Coração de meu benfeitor, enriquecei-me! Ave, ó Coração de meu pastor, guardai-me!

Ave, ó Coração de meu Jesus-Menino, atraí-me! Ave, ó Coração de meu Jesus, morrendo na cruz, satisfazei por mim! Ave, ó Coração de Jesus no Santíssimo Sacramento, alimentai-me!

Ave, ó Coração de Jesus em todos os vossos mistérios e estados, dai-vos por mim!

Ave, ó Coração de Jesus, meu irmão, morai comigo! Ave, ó Coração de incomparável bondade, tende piedade de mim!

Ave, ó Coração magnífico, resplandecei sobre mim! Ave, ó Coração caridoso, compadecei-vos de mim! Ave, ó Coração misericordioso, respondei por mim! Ave, ó Coração pacientíssimo, suportai-me!

Ave, ó Coração fidelíssimo, pagai por mim! Ave, ó Coração dulcíssimo, abençoai-me!

Ave, ó Coração pacífico, acalmai-me!

Ave, ó Coração belíssimo, encantai-me! Ave, ó Coração nobilíssimo, enobrecei-me!

Ave, ó Coração bendito, médico e remédio de todos os nossos males, curai-me!

Ave, ó Coração amante, fornalha ardente de amor, consumi-me!

Ave, ó Coração de Jesus, modelo de toda perfeição, iluminai-me!

Ave, ó Coração, origem de toda felicidade, fortalecei-me!

Ave, ó Coração, fonte de eterna bênção, chamai-me, uni-me a Vós na vida e na eternidade!

Consagração das famílias ao Sagrado Coração de Jesus

Divino Coração de Jesus, eis-nos aqui prostrados diante de Vós cheios de sentimentos da mais viva gratidão por todos os vossos benefícios e com o mais ardente amor pela vossa inefável bondade. Nós vos consagramos, ó Rei divino, por intermédio do Coração Imaculado de Maria e, sob o poderoso patrocínio de São José, toda a nossa família. Seja o nosso lar como o de Nazaré a morada inviolável da honra, da fé, da caridade, do trabalho, da oração, da ordem e da paz doméstica. Sede Vós mesmo a regra suprema de todas as nossas ações e o solícito protetor de todos os nossos interesses.

Nós vos consagramos, ó divino Mestre, todas as provações, alegrias, vicissitudes da nossa vida doméstica; e vos suplicamos que derrameis sobre todos os membros de nossa família, quer ausentes, quer presentes, vivos ou defuntos, as vossas mais preciosas bênçãos; confiamo-los todos agora e sempre à tutela do vosso divino Coração.

Nós vos rogamos também por todas as famílias do universo; protegei o berço dos recém-nascidos, a escola dos meninos, a vocação dos jovens; sede o conforto dos enfermos, o arrimo dos velhos, o amparo das viúvas, o pai dos órfãos; velai Vós mesmo com amor em cada morada, à cabeceira dos doentes e agonizantes.

Mas, ó Jesus, oceano de misericórdia e de amor, nós vos pedimos que nos socorrais sobretudo na hora de nossa morte; apertai-nos então mais do que nunca ao vosso divino Coração de modo que ele seja o nosso asilo, o nosso refúgio, o leito do nosso descanso e, assim, depois de ter cada um de nós adormecido, ó Jesus, em vosso bendito peito encontremos no céu toda a família no vosso Coração Sagrado. Assim seja.

Menino Jesus de Praga
para os casos desesperados

Ó amantíssimo Menino Jesus de Praga, que com tanta ternura nos amais, e que vos deliciais em habitar entre nós, eu, ainda que indigníssimo de ser olhado por Vós com amor, também me sinto atraído para Vós, pois estais sempre disposto a perdoar e a conceder o vosso amor.

Muitas graças e bênçãos foram obtidas por todos aqueles que vos invocaram com fé, e eu ajoelhado diante de vossa milagrosa imagem de Praga dou-vos meu coração com tudo aquilo de que necessito, aspirações, esperanças, e, principalmente, peço-vos a graça de...

Ao vosso pequeno, mas misericordiosíssimo coração, entrego a minha petição.

Governai-me, e usai de mim e dos meus entes queridos como aprouver a vossa santíssima vontade, pois sei que tudo fazeis para nosso maior bem. Onipotente e amável Menino Jesus, não nos abandoneis, mas abençoai-nos e protegei-nos sempre.

Divino Menino Jesus, ouvi-me! Divino Menino Jesus, escutai-me! Divino Menino Jesus, abençoai-me!

Dos estudantes ao Menino Jesus de Praga

Ó Santo Menino Jesus de Praga, sabedoria eterna e encarnada, que pela vossa suave imagem de Praga dispensai a todos, generosamente, as vossas graças, e de modo particular à juventude que a Vós recorre, volvei vosso olhar benigno sobre mim, que invoco a vossa proteção para meus estudos.

Vós, Homem-Deus, sois o Senhor da ciência, a fonte da inteligência e da memória, socorrei, portanto, a minha fraqueza.

Iluminai a minha mente, tornando fácil a aquisição da verdade do saber; reforçai a minha memória, a fim de que possa reter tudo o que aprendi; nos momentos difíceis sede a minha luz, meu amparo e o meu conforto.

Ao vosso divino Coração imploro a graça de cumprir fielmente todos os meus deveres de estudante e de tirar os melhores frutos possíveis para conseguir assim fazer bons exames e obter uma boa aprovação.

Prometo-vos, de minha parte, para merecer as graças pedidas, ser fiel a todos os meus deveres de cristão e de amar-vos cada vez mais.

Ó dulcíssimo Menino Jesus de Praga, protegei-me todos os dias, cobrindo-me com o vosso manto protetor, e guiai-me sobretudo na aquisição do saber e no caminho da salvação eterna. Assim seja.

Convite de amor de Jesus

Vem, meu filho, vem buscar em meu Coração as graças que tanto desejo comunicar-te. Para agradar-me não é preciso ter muita ciência, basta amar-me e querer amar-me. Basta que mostres o teu coração e me comuniques todos os teus desejos. Vem, filho meu, fala-me com singeleza, como falarias ao teu mais íntimo amigo. Não tens ninguém que me queiras recomendar? Dize-me o nome de teus pais, parentes, irmãos e amigos. Dize-me o que desejas que faça a cada um deles.

Pede muito a meu Coração; são-lhe agradáveis as almas generosas que se empenham em favor do próximo. Fala-me dos pobres que quiseras aliviar... dos doentes que quiseras remediar... dos maus que quiseras converter... dos inimigos com quem te queres reconciliar... Faze-me por todos uma fervorosa oração. Lembra-me que prometi ouvir a súplica nascida do coração. Não tens nada a me pedir para ti?... Escreve, se quiseres, uma longa lista de todas as tuas necessidades e vem lê-la ao meu Coração. Pede o meu auxílio e eu ajudar-te-ei nos esforços que fizeres para te corrigir. Filho, não desanimes, não te envergonhes! No céu há muitos santos que tinham na terra os defeitos que tu tens. Mas pediram-me e entregaram-se ao meu Coração!

Não hesites, pois posso valer-te em tudo e por tudo; pede-me com toda a confiança: bens espirituais e corporais, saúde, êxito feliz nos trabalhos, nos negócios e nos estudos. Quando esses bens forem úteis à santificação eu os concedo com prazer. Meu filho, se soubesses quanto bem te quero e quanto desejo fazer por ti!

Não tens, por acaso, algum desgosto? Conta-me tuas penas. Quem te aborreceu? quem te ofendeu, quem te desprezou?... Conta-me tudo, e dize-me que a todos perdoas e eu abençoar-te-ei. Confia plenamente em meu Coração. Entrega-te todo à minha Providência!

Não tens alguma alegria que me queiras comunicar? Por que não vens contar-me as tuas felicidades? O que foi que te consolou? O que te fez sorrir? O que te aliviou o coração? O que te deu alegria? Saiba que todo o bem que te acontece procede de meu Coração. Por que não vens agradecer-me? Filho, a gratidão te alcançará sempre novos benefícios. O reconhecimento faz descer do céu o orvalho da graça. O benfeitor gosta de ver lembradas as suas bondades. Sê grato e consolarás o meu coração.

Enfim, não tens alguma promessa a fazer-me? Prometes ser amável e amigo para com aquelas pessoas que ofenderam teu amor-próprio? Promete-me, filho, e vem cada dia buscar em meu Coração a força de cumprir tuas promessas, pois eu também prometo ajudar-te. E de agora em diante, com mais dedicação, com mais obediência e fervor, entrega-me os teus trabalhos diários; sê modesto, silencioso, resignado, caridoso e paciente. Ama, ama muito a Virgem Santíssima, minha Mãe imaculada, e sacrifica tudo para seres verdadeiro filho de Maria. Amanhã vem de novo visitar-me.

Bom Jesus dos aflitos

Ó meu Bom Jesus, Senhor dos Aflitos, Vós dissestes: "Vinde a mim todos os aflitos, que vos aliviarei". Aqui estou para conversar convosco...

Infundi em meu coração profundo amor, para que amando, servindo e ajudando-vos na pessoa de meu semelhante possa viver o vosso Evangelho, praticando o bem e sendo útil e assim participar da vida do céu. Senhor Bom Jesus dos Aflitos, Vós sois minha única esperança. Resolvei os meus problemas.

Isto vos peço em união com o Pai e o Espírito Santo. Amém.
Pai-nosso, Ave-Maria e Glória-ao-Pai.

Orações ao Espírito Santo

Novena do Divino Espírito Santo

(Rezar durante nove dias a oração)

Vinde, Espírito Santo, enchei os corações dos vossos fiéis e acendei neles o fogo do vosso amor.
V. Enviai o vosso Espírito, e tudo será criado.
R. E renovareis a face da terra.

Oração

Ó Deus que iluminastes os corações de vossos fiéis com as luzes do Espírito Santo, concedei-nos que pelo mesmo Espírito saibamos o que é reto, e gozemos sempre de suas divinas consolações. Por Cristo Nosso Senhor. Amém.
Espírito de amor e de verdade, autor da santificação de nossas almas, adoro-vos como princípio de minha felicidade eterna; muitas graças vos dou como soberano dispensador dos benefícios que do céu recebo e vos invoco como a fonte das luzes e da fortaleza que me são necessárias, para conhecer o bem e poder praticá-lo. Espírito

de luz e fortaleza, iluminai meu entendimento, fortificai minha vontade, purificai meu coração, regulai todos os meus movimentos e fazei-me dócil a todas as vossas inspirações. Espírito consolador, aliviai as penas e trabalhos que me afligem neste vale de lágrimas, dai-me o dom da conformidade e da paciência, para que mereça, neste mundo, fazer penitência dos meus pecados e gozar no outro da luz beatífica. Amém.

3 Glórias.

Para alcançar os sete dons

Vinde, Espírito Santo, enchei os corações de vossos fiéis e acendei neles o fogo de vosso amor!

Ó Espírito Santo, concedei-me o dom do temor de Deus, para que eu sempre me lembre, com suma reverência e profundo respeito, da vossa divina presença; trema, como os mesmos anjos, diante de vossa divina majestade e nada receie tanto como desagradar aos vossos santos olhos.

Espírito Santo, concedei-me o dom da piedade, que me tornará delicioso o trato e o colóquio convosco, na oração, e me fará amar a Deus com íntimo amor, como a meu Pai, a Maria Santíssima, como a minha mãe e a todos os homens como a meus irmãos em Jesus Cristo.

Espírito Santo, concedei-me o dom da ciência, para que eu conheça, cada vez mais, as minhas próprias misérias e fraquezas, a beleza da virtude e o valor inestimável da alma; e para sempre veja claramente as ciladas do inimigo, da carne e do mundo, a fim de poder evitá-las.

Espírito Santo, concedei-me o dom da fortaleza, para que eu despreze todo o respeito humano, fuja do pecado, pratique a virtude com santo fervor e afronte com paciência, e mesmo com alegria de espírito, os desprezos, prejuízos, perseguições e a própria morte, antes que renegar, por palavras e por ações, o meu amabilíssimo Senhor Jesus Cristo.

Espírito Santo, concedei-me o dom do conselho, tão necessário em tantos passos melindrosos da vida, para que sempre escolha o que mais vos agrade, siga em tudo a vossa divina graça e com bons e carinhosos conselhos socorra ao próximo. Espírito Santo, concedei-me o dom da inteligência, para que eu, alumiado pela luz celeste de vossa graça, bem entenda as sublimes verdades da salvação, a doutrina da santa religião.

Espírito Santo, concedei-me o dom da sabedoria, a fim de que, cada vez mais, goste das coisas divinas e, abrasado no fogo do vosso amor, prefira com alegria as coisas do céu a tudo que é mundano e me una para sempre a Jesus, sofrendo tudo neste mundo por seu amor.

Vinde, Espírito criador, visitai-me e enchei o meu coração que vós criastes, com a vossa divina graça. Vinde e repousai sobre mim, Espírito de sabedoria e inteligência, Espírito de conselho e fortaleza, Espírito de ciência, de piedade e de temor de Deus. Vinde, Espírito divino, ficai comigo e derramai sobre mim a vossa divina bênção. Amém.

Para alcançar os doze frutos

Espírito Santo, amor eterno do Pai e do Filho, dignai-vos conceder-me os vossos doze frutos: o fruto da caridade, que me una inteiramente convosco pelo amor; o fruto do gozo, que me encha de santa consolação; o fruto da paz, que produza em mim a tranquilidade de alma; o fruto da paciência, que me faça sofrer tudo por amor de Jesus e de Maria; o fruto da benignidade, que me leve a socorrer de boa vontade as necessidades dos que sofrem; o fruto da bondade, que me torne benfazejo e clemente a todos; o fruto da longanimidade, que me faça esperar com paciência em qualquer demora; o fruto da brandura, que me faça suportar com toda a mansidão o que o próximo tem de incômodo; o fruto da fé, que me faça crer firmemente na Palavra de Deus; o fruto da modéstia, que regule todo o meu exterior; enfim, os frutos da continência e castidade, que conservem as minhas mãos inocentes e o meu coração limpo e imaculado.

Espírito divino, fazei que a minha alma seja para sempre a vossa morada e o meu corpo vosso sagrado templo. Habitai em mim e ficai comigo na terra, para que eu mereça ver-vos eternamente no reino da glória. Amém.

Espírito Santo nas tribulações

Vinde, ó vinde, benigníssimo Consolador da alma aflita. Vinde, defensor constante na tribulação! Vinde, santificador dos pecadores, esforço dos caídos, fortaleza dos fracos, médico dos enfermos, mestre dos humildes, assombro dos soberbos, remédio dos pobres, alívio dos atribulados, piedoso pai dos órfãos. Vinde, porto seguro dos náufragos.

Vinde, Senhor, vinde a minha alma, porque sois a única esperança de todos os que vivem a verdadeira vida em Cristo e de todos que morrem. Vinde, tende piedade de mim!... Conformai o meu espírito convosco, ó Espírito de Deus, e a minha limitação com a vossa grandeza.

Sustentai a minha fraqueza com o vosso braço poderoso, para que eu vos sirva e agrade pelos merecimentos de Nosso Senhor Jesus Cristo. Amém.

Espírito Santo

Ó Espírito Santo! Amor do Pai e do Filho, inspirai-me sempre o que devo pensar, o que devo dizer, como devo dizê-lo, o que devo calar, o que devo escrever, como devo agir, o que devo fazer para procurar vossa glória, o bem das almas e minha própria santificação.
Ó Espírito Santo! Ajudai-me a ser bom e fiel à graça de Deus neste dia e inflamai no fogo do vosso amor o mundo que se materializa.

Orações a Nossa Senhora

Nossa Senhora

Oração de São Francisco

Salve, ó Senhora santa, Rainha santíssima, Mãe de Deus, ó Maria, que sois Virgem perpétua, eleita pelo santíssimo Pai celestial, que vos consagrou por seu santíssimo e dileto Filho e o Espírito Santo Paráclito! Em vós residiu e reside toda a plenitude da graça e todo bem.

Salve, ó palácio do Senhor! Salve, ó tabernáculo do Senhor! Salve, ó morada do Senhor! Salve, ó manto do Senhor! Salve, ó serva do Senhor!

Salve, ó Mãe do Senhor, e salve vós todas, ó santas virtudes derramadas, pela graça e iluminação do Espírito Santo, nos corações dos fiéis, transformando-os de infiéis em servos fiéis de Deus!

Nossa Senhora

Oração de Santo Anselmo

Suplico-vos, ó Maria, pela graça com que o Senhor quis estar tão estreitamente unido a vós e vós com Ele, que eu esteja, pela vossa misericórdia, com Ele e convosco, que o vosso amor esteja comigo e o cuidado de mim sempre convosco; que o sentimento das minhas necessidades esteja convosco e a vossa bondade sempre comigo; que a alegria de vossa felicidade esteja sempre comigo e a compaixão da minha miséria sempre convosco!

Imaculado Coração de Maria

Ó Coração de Maria, Coração mais semelhante ao de Jesus, Coração cheio de bondade e compaixão para com as nossas misérias, sede nosso caminho para chegarmos a Jesus Cristo e o canal por onde recebamos todas as graças necessárias à nossa salvação. Sede nosso socorro nas necessidades, nosso alívio nas aflições, nossa fortaleza nas tentações, nosso refúgio nas perseguições, nosso auxílio em todos os perigos, mas especialmente na hora da morte, quando toda maldade se desencadear contra nós para perturbar nossas almas. Ah! Virgem compassiva, fazei-nos provar então a doçura de vosso Coração e a força de vosso poder sobre o de Jesus, abrindo-nos, naquela mesma fonte de misericórdia, um refúgio seguro, para que nos possamos unir a vós para bendizê-lo no paraíso pelos séculos dos séculos. Assim seja.

Reparadora ao Coração Imaculado de Maria

Ó Coração Imaculado de Maria, transpassado de dor pelas injúrias com que os pecadores ultrajam vosso santo nome e vossas excelsas prerrogativas; eis prostrado a vossos pés vosso indigno filho, que, oprimido pelo peso das próprias culpas, vem arrependido, com ânimo de reparar as injúrias que, à maneira de penetrantes setas, dirigem contra vós os homens ousados e perversos. Desejo reparar com este ato de amor e submissão que faço perante vosso Coração amantíssimo todas as blasfêmias que proferem contra vosso augusto nome, todas as ofensas que se fazem a vossas excelsas virtudes e todas as ingratidões com que os homens correspondem ao vosso maternal amor e inesgotável misericórdia.

Aceitai, ó Coração caloroso e Imaculado, esta demonstração de meu filial carinho e justo reconhecimento, com o firme propósito que faço de ser-vos fiel todos os dias de minha vida, de defender vossa honra quando a veja ultrajada e de propagar com entusiasmo vosso culto e vossas glórias.

3 Ave-Marias.

Maria, Rosa Mística

Oração (1)

Mãe celeste, Rainha dos Céus, soberana do gênero humano, vós que recebestes de Deus o poder e a missão de esmagar a cabeça de satanás, dóceis ao vosso apelo nós acorremos a vossos pés. Mãe de misericórdia, dignai-vos acolher os louvores e as preces que fazem subir para vós cheios de confiança vossos filhos peregrinos, eles vieram confiar-vos todas as suas penas, todas as suas misérias.

Ó maravilhoso reflexo da beleza do céu, pela luz da fé, expulsai dos nossos espíritos as trevas do erro. Rosa Mística, pelo perfume celeste da esperança, reanimai a coragem das almas abatidas.

Nascente inesgotável de água salutar pelas correntes da divina caridade, dai vida aos corações definhados.

Nós somos os vossos filhos; reconfortai-nos nas nossas penas; protegei-nos no perigo; animai-nos na luta, fazei que amemos e sirvamos o vosso filho Jesus; dai-nos um amor ardente pelo vosso rosário; fazei que difundamos por toda a parte a devoção mariana, que nós nos esforçamos por viver em estado de graça para merecer a felicidade eterna perto de vós.

Assim seja.

Oração (2)

Virgem Imaculada, Mãe da Graça, Rosa Mística, em honra do vosso Divino Filho nos ajoelhamos diante de vós a implorar a misericórdia divina: não por nossos méritos, mas pela vontade do vosso Coração maternal, nós vos suplicamos que nos concedais proteção e graça com a certeza de que nos haveis de atender.

AVE MARIA...

Rosa Mística, Mãe de Jesus, Rainha do Santo Rosário e Mãe da Igreja, Corpo Místico de Cristo, nós vos pedimos que concedais ao mundo, dilacerado pela discórdia a unidade e a paz e todas aquelas graças que podem mudar o coração de tantos de teus filhos.

AVE MARIA...

Rosa Mística, Rainha dos Apóstolos, fazei florescer à volta da mesa da Eucaristia muitas vocações sacerdotais e religiosas que difundam, com a santidade de sua vida e com o zelo apostólico pelas almas, o Reino de vosso Filho Jesus por todo o mundo. E derramai sobre nós também a abundância de vossas graças celestiais.

AVE MARIA...

Rosário das lágrimas de sangue

Jesus Crucificado! Ajoelhados aos vossos pés, nós vos oferecemos as lágrimas de sangue daquela que vos acompanhou no vosso caminho sofredor da cruz, com intenso amor participante.

Fazei, ó bom Mestre, que apreciemos as lições que nos dão as lágrimas de sangue de vossa Mãe Santíssima a fim de que cumpramos a vossa santíssima vontade aqui na terra, de tal modo que sejamos dignos de louvar-vos no Céu por toda a eternidade. Amém.

Em vez do Pai-nosso, reza-se:

"Ó Jesus, olhai para as lágrimas de sangue daquela que mais vos amou no mundo e vos ama mais intensamente no céu".

Em vez das 7 Ave-Marias, reza-se sete vezes:

"Ó Jesus, atendei as nossas súplicas:

Em virtude das lágrimas de sangue da nossa Mãe Santíssima".

Sete mistérios

(Dores de Nossa Senhora na terra)

1º) A espada a traspassar a alma – Conforme a profecia do velho Simeão, no Templo.

2º) A fuga da Sagrada Família para o Egito.

3º) Nossa Senhora perde o seu Divino Filho por três dias.

4º) O encontro com Nosso Senhor todo flagelado e carregando a sua pesadíssima cruz às costas.

5º) A bárbara crucifixão e morte de seu Divino Filho.

6º) Nossa Senhora recebe em seus braços seu Filho inteiramente chagado e traspassado pela lança.

7º) Nossa Senhora acompanha o seu Divino Filho à sepultura.

No fim repete-se três vezes:

"Ó Jesus, olhai para as lágrimas de sangue daquela que mais vos amou no mundo e vos ama mais intensamente no céu".

Após as três últimas invocações, reza-se:

Oração final

Ó Maria, Mãe de amor, das dores e de misericórdia, nós vos suplicamos: uni as vossas súplicas às nossas a fim de que Jesus, vosso Divino Filho, a quem nos dirigimos, em nome das vossas lágrimas maternais de sangue, atenda as nossas súplicas e se digne conceder-nos as graças pelas quais vos suplicamos, a coroa da vida eterna. Amém. Que as vossas lágrimas de sangue, ó Mãe das dores, destruam as forças do inferno.

Pela vossa mansidão divina, ó Jesus crucificado, preservai o mundo da perda ameaçadora!

Rosa Mística, rogai por nós!

Nossa Senhora das Graças

Ó Maria, Mãe admirável de Nosso Senhor Jesus Cristo, Mãe de Deus, e por isso Mãe da Divina Graça! Por Deus fostes estabelecida depositária, tesoureira, medianeira e dispensadora de todas as graças! Com toda confiança apelamos para o vosso Imaculado Coração de Mãe, suplicando que nos obtenhais a nós e a todos os homens as graças gerais e especiais: aos justos a perseverança; às almas tristes, consolação; aos corações desanimados, coragem e confiança; aos enfermos, cura e saúde; aos pecadores, arrependimento e perdão; às almas do purgatório, alívio e livramento; enfim, a cada um de nós, as graças particulares... para as quais imploramos neste momento, de um modo especial, o socorro de vossa bondade maternal e de vosso poder. Solicitamos sobretudo, ó Mãe Santíssima, vossa assistência na hora de nossa morte, a fim de que, neste derradeiro momento, possamos ser achados dignos de participar da glória de Jesus, vosso Divino Filho, que, sendo Deus, vive e reina, com o Pai e o Espírito Santo, por todos os séculos dos séculos. Amém. Nossa Senhora das Graças, rogai por nós!

Imaculada Conceição

Santa Maria, Rainha dos céus, Mãe de Nosso Senhor Jesus Cristo e Senhora do mundo, que a ninguém deixais nem desprezais, olhai para mim, benigna, com olhos de piedade, e alcançai-me de vosso amado Filho o perdão de todos os meus pecados, para que venerando, agora, afetuosamente vossa Imaculada Conceição, consiga, depois, o prêmio da eterna bem-aventurança por meio de Nosso Senhor Jesus Cristo, a quem destes à luz, ficando virgem, que sendo Deus com o Pai e o Espírito Santo vive e reina em Trindade perfeita, por todos os séculos dos séculos. Amém.

Pai-nosso, Ave-Maria, Glória-ao-Pai e Salve-Rainha.

Eis aqui a Virgem, em quem não houve nem a sombra da culpa original, nem a leve mancha da atual.

Na vossa Conceição, ó Virgem, fostes imaculada. Orai por nós ao Pai, cujo Filho destes à luz.

Nossa Senhora das Dores

Minha mãe dolorosíssima, não vos quero deixar sozinha a chorar, mas quero vos acompanhar também com as minhas lágrimas. Esta graça vos peço hoje: alcançai-me uma contínua lembrança e uma devoção terna da paixão de Jesus e vossa, para que todos os dias que me restam de vida me sirvam somente para chorar as vossas dores e as do meu Redentor. Elas me alcançarão o perdão, a perseverança, o céu, onde espero, depois de recrear-me em vós, cantar as misericórdias infinitas de Jesus e Maria, por toda a eternidade. Amém.

Nossa Senhora do Rosário

Virgem Maria, fazei que a recitação do vosso rosário seja cada dia, para mim, no meio de meus múltiplos deveres, um laço de unidade nos atos, um tributo de piedade filial, uma doce recreação, um socorro para marchar alegremente na senda do dever. Fazei, sobretudo, ó Virgem

Maria, que o estudo de vossos quinze mistérios forme, pouco a pouco, em minha alma, uma atmosfera luminosa, pura, fortificante, embalsamada, que penetre minha inteligência, minha vontade, meu coração, minha memória, minha imaginação, todo o meu ser. Assim adquirirei o hábito de orar trabalhando sem o socorro de fórmulas, por vistas interiores de admiração e de súplica ou por aspirações de amor.

Eu vo-lo peço, ó Rainha do santo Rosário, por Domingos vosso filho predileto, o insigne pregador de vossos mistérios e o fiel imitador de vossas virtudes. Assim seja.

Nossa Senhora da Saúde

Maria, Mãe de Jesus, coloco-me junto de ti, em humilde oração. Tu te mostraste tão verdadeira e tão admirável em tuas qualidades humanas, atenta, forte e decidida.

Vem fazer tua presença – agora – quando sinto dificuldade em acolher o mistério de Jesus Cristo em minha vida. É difícil compreender tanto sofrimento humano, tanta limitação, em mim e nos irmãos, tantos irmãos sofredores. Ó Mãe solícita, envolve-me a mim e a todos os que sofrem doenças e dores, físicas, emocionais e morais; ajuda-nos com tua vida e tua coragem.

Tu me vês, tu me ouves e estás sempre junto de mim, com teu carinho de mãe. Dá-me força para vencer e assumir, nos momentos de dor, cansaço e, muitas vezes, de angústias.

Torna-me simples e paciente como tu, pessoa de fé e que sabe escutar Deus, na vida, na Palavra de Deus e nos acontecimentos do mundo.

Oferece comigo minhas preocupações e dores, associando aos teus sofrimentos e aos sofrimentos de teu Filho Jesus, tu que soubeste aceitar as cruzes e os sofrimentos de tua vida, que soubeste estar firme ao pé da cruz de Jesus, até o fim. Alcança-me do Pai, por Jesus Cristo, todos os dons do Espírito Santo e a esperança da ressurreição, que promete a vitória sobre toda dor e a morte. Amém.
Salve-Rainha.

Nossa Senhora Medianeira

Pai Celestial,
Eu vos peço neste momento de uma maneira especial. Através do seu poder eu fui criado. Cada respiração que dou, todas as manhãs que acordo e a cada momento de cada hora, eu vivo sob o seu poder.
Pai, peço-lhe agora para me tocar com o mesmo poder. Porque se me criastes do nada, preencha-me com o poder de cura do seu espírito.
Expulses tudo o que não deveria estar em mim. Corrijas o que não está bem. Removas aquilo que é nocivo. Abras os bloqueios nas artérias ou veias e reconstruas as áreas danificadas. Removas toda a inflamação e limpe qualquer infecção.
E, pai, me dê plena saúde em minha mente e corpo para que eu possa vos servir pelo resto da minha vida.
Eu peço isto através da intercessão de Nossa Senhora, Maria Mediadora de Todas as Graças e seu Filho, Jesus Cristo Nosso Senhor.
Amém.

Nossa Senhora de Guadalupe

Oração (1)

Oh Virgem Imaculada, Mãe do verdadeiro Deus e Mãe da Igreja! Vós, que mostrais sua clemência e sua compaixão para todos aqueles que pedem sua proteção: Ouça a oração que, com confiança filial, lhe dirigimos e apresentamos ao seu Filho Jesus, nosso único redentor.

Mãe de misericórdia, Mestra do sacrifício oculto e silencioso, para você, que sai para nos encontrar, os pecadores, nós consagramos a você neste dia todo nosso ser e todo nosso amor. Também consagramos nossa vida, nossos empregos, nossas alegrias, nossas doenças e nossas dores.

Dê paz, justiça e prosperidade ao nosso povo; desde tudo o que temos e somos colocados sob seus cuidados, Senhora e nossa mãe.

Queremos ser totalmente seus e viajar contigo no caminho da plena fidelidade a Jesus Cristo em sua Igreja: não abandone sua mão amorosa.

Virgem de Guadalupe, Mãe das Américas, pedimos a todos os bispos que conduzam os fiéis pelos caminhos da intensa vida cristã, amor e humilde serviço a Deus e às almas.

Contemple essa imensa colheita, e intercede para o Senhor incutir uma fome de santidade em todo o Povo de Deus, e conceda abundantes vocações de sacerdotes e dispensadores religiosos, fortes na fé e zelosos dos mistérios de Deus.

Oração (2)

Virgem Santíssima de Guadalupe, Mãe de Deus, Senhora e Mãe. Venho aqui prostrado diante de sua imagem sagrada, que nos deixou estampada no manto de São Juan Diego, como penhor de amor, bondade e misericórdia. Ainda ressoam as palavras que você disse a Juan com ternura inefável: "Meu querido filho Juan, a quem eu amo como uma pequena e delicada".

Faça-nos merecer ouvir essas mesmas palavras nas profundezas de nossas almas. Sim, vós sois nossa mãe; a Mãe de Deus é nossa Mãe, a mais carinhosa, a mais compassiva. E para ser nossa mãe e abrigar sob o manto de sua proteção, você permaneceu à sua imagem de Guadalupe.

Virgem Santíssima de Guadalupe, mostra que você é nossa mãe. Defenda-nos nas tentações, nos consolide nas dores e nos ajude em todas as nossas necessidades. Nos perigos, nas doenças, nas perseguições, na amargura, no abandono, na hora da nossa morte olhe para nós com olhos compassivos e nunca vos separe de nós.

Oração (3)

Deus de poder e misericórdia, que abençoastes as Américas no Monte Tepeyac com a presença da Virgem Maria de Guadalupe. Que sua intercessão ajude a todos, homens e mulheres, a aceitarem-se como irmãos e irmãs.

Por sua justiça, presente em nossos corações, a paz reina no mundo. Nós pedimos isto através de Nosso Senhor Jesus Cristo, seu Filho, que vive e reina com você e com o Espírito Santo, Deus, para todo o sempre. Amém.

Nossa Senhora do Amparo

Deus vos salve, Nossa Senhora do Amparo, Virgem pura, Imaculada estrela, o mundo inteiro vos louva e procura incessantemente por seres a nossa terna mãe do Céu e Rainha Soberana que nos ama, nos guia e nos dá o consolo divino;
Bela Virgem, hoje ao seu amado Coração me entrego e diante da vossa presença divina me prostro com fervor. Aceita minhas orações, minhas tristezas e desejos, bem como minhas mais sinceras palavras de carinho e gratidão. Oh doce senhora, oh minha amada Virgem Rainha do Céu e Rainha da minha vida, estrela que ilumina minhas estradas escuras e dá apoio e alegria à minha vida, muitas vezes em meio a dor, sofrimento e necessidade, eu confio em vós.
Que seu coração puro seja cheio de bondade e misericórdia e que seja uma fonte de abrigo, amor, paz e vida. Ajude-me a sorrir e ter paz na tribulação. Amém.

Nossa Senhora da Medalha Milagrosa (1)

Ó Virgem, Mãe de Deus, Maria Imaculada, nos oferecemos e nos consagramos, sob o título de Nossa Senhora da Medalha Milagrosa. Que sua Medalha seja para cada um de nós penhor do amor que você tem por nós, e nos lembre de nossos deveres para convosco. Que possamos sempre levá-la abençoando, por sua proteção amorosa, na constante graça de seu Filho.
Oh poderosa Virgem, mantenha-nos sempre ao seu lado em todos os instantes da nossa vida, para que possamos desfrutar da eterna felicidade para sempre. Amém.

Nossa Senhora da Purificação

Por aquela exemplar solicitude que demonstrastes, ó Virgem Mãe santíssima, em cumprir a lei da purificação de um coração que, na verdade, era o sacrário de todas as virtudes e da santidade, e pela heroica resolução de oferecer vosso Filho unigênito ao Senhor, hóstia santa e agradável, para os pecados do mundo; alcançai-me que, na mais exemplar observância da lei divina e no esforço constante de purificar o meu coração, torne-me digno de mais frequentemente me aproximar dos fortes desejos do santo velho Simeão em receber Jesus na Eucaristia para, depois, oferecer-me a Ele só e a seu santo serviço. Amém. Pai-nosso, Ave-Maria e Glória-ao-Pai.

Nossa Senhora dos Navegantes

Ave, Estrela do mar, Virgem poderosíssima, Mãe e advoga-da de todos os que navegam no mar proceloso da vida! À vossa valiosa proteção confiou-nos o vosso Divino Filho, para serdes nossa guia, proteção, consolo e alento du-rante a nossa vida terrestre. Refugiando-nos, cheios de confiança, debaixo do vosso manto maternal, sede-nos fa-rol, sede-nos sempre a brilhante Estrela do mar que nos oriente, a fim de que nunca pereçamos, nem nos desnor-teemos da rota segura que nos levará ao porto da eterna bem-aventurança, onde em companhia vossa, do vosso Divino Filho e de todos os santos gozemos a serenidade da vida em Deus para sempre. Amém.

Nossa Senhora da Salete

Lembrai-vos, ó Nossa Senhora da Salete, das lágrimas que derramastes no calvário. Lembrai-vos também dos angustiosos cuidados que tendes por mim para livrar-me da justiça de Deus. Depois de terdes demonstrado tanto amor por mim, não podeis abandonar-me. Animado por este pensamento consolador venho lançar-me a vossos pés, apesar de minhas infidelidades e ingratidões. Não rejeiteis a minha oração, ó Virgem reconciliadora, mas atendei-me e alcançai-me a graça que tanto necessito.
Ajudai-me a amar a Jesus sobre todas as coisas. Eu quero enxugar as vossas lágrimas por meio de uma vida santa e assim merecer um dia viver convosco e desfrutar a felicidade eterna do céu.
Amém.

Nossa Senhora de Lourdes

Bendita sejais, Virgem puríssima, que por dezoito vezes vos dignastes aparecer na gruta de Lourdes, toda imersa nas irradiações do vosso próprio esplendor, da vossa doçura, da vossa magnificência e ali vos revelastes à humilde e ingênua criança, para que, no êxtase de sua contemplação, vos ouvisse dizer: "Eu sou a Imaculada Conceição".
Bendita sejais, Senhora, na vossa Imaculada Conceição. Bendita sejais, pelos extraordinários benefícios que não cessais de espargir naquele lugar. E nós, ó Maria, pelo vosso amor de Mãe e pela glória que vos tributa a santa Igreja, nós vos conjuramos que realizeis as esperanças de conversão, de santificação, de perseverança, numa pala-

vra, as esperanças de salvação que nasceram em nós com a proclamação do dogma da Imaculada Conceição.

Fostes, Virgem Maria, imaculada na vossa Conceição. Rogai por nós ao Pai, cujo Filho Jesus, concebido do Espírito Santo, destes à luz.

Nossa Senhora da Paz

Ó Maria, doce Mãe de Jesus Cristo, Príncipe da Paz, eis a vossos pés vossos filhos tristes, perturbados e cheios de confusão, pois afastou-se de nós a paz pelos nossos pecados. Intercedei por nós para que gozemos a paz com o nosso Deus e nosso próximo, por vosso Filho Jesus Cristo. Ninguém pode dá-la senão esse vosso Filho que recebemos das vossas mãos. Quando nasceu de vossas puríssimas entranhas em Belém, os anjos nos anunciaram a paz, e quando Ele abandonou o mundo no-la prometeu e deixou-a como sua herança. Vós, ó Bendita, trazeis sobre os vossos braços o Príncipe da Paz, mostrai-nos esse Jesus e deitai-o em nosso coração! Ó Rainha da Paz, estabelecei entre nós o vosso reino e reinai com vosso Filho no meio de vosso povo que, cheio de confiança, se recomenda à vossa proteção. Afastai para longe de nós os sentimentos de amor-próprio; expulsai de nós o espírito de inveja, de maledicência, de ambição e de discórdia! Fazei-nos humildes na fortuna, fortes no sofrimento em paciência e caridade, firmes e confiantes na Divina Providência! Com o Menino nos braços abençoai-nos, dirigindo os nossos passos no caminho da paz, da união e mútua caridade, para que, formando aqui a vossa família, possamos no céu bendizer-vos e a vosso divino Filho por toda a eternidade. Assim seja.

Nossa Senhora de Fátima

Santíssima Virgem, que nos montes de Fátima vos dignastes revelar a três pastorinhos os tesouros de graças contidos na prática do vosso santo Rosário, incuti profundamente em nossa alma o apreço em que devemos ter esta devoção, a vós tão querida, a fim de que, meditando os mistérios da redenção, que neles se comemoram, nos aproveitemos de seus preciosos frutos e alcancemos a graça... que vos pedimos, se for para maior glória de Deus e proveito de nossas almas. Assim seja.

Pai-nosso, Ave-Maria, Glória-ao-Pai.

Jaculatória: Meu Deus, perdoai-nos, livrai-nos do fogo do inferno, levai as almas para o céu e socorrei principalmente as que mais precisarem.

Nossa Senhora do Carmo

Beatíssima Virgem Imaculada, decoro e resplendor do Carmo, vós que olhais com particular bondade a quem traz o vosso bendito escapulário, olhai também benignamente para mim e cobri-me com o manto de vossa maternal proteção. Fortificai a minha fraqueza com o vosso poder, iluminai as trevas de minha mente com vossa sabedoria, aumentai em mim a fé, a esperança e a caridade. Adornai minha alma de tais graças e virtudes, que sempre seja cara a vosso Divino Filho e a vós. Assisti-me na vida, consolai-me na morte com vossa amabilíssima presença e apresentai-me à augustíssima Trindade como vosso filho e servo devoto, para eternamente vos louvar e bendizer no céu. Assim seja.

3 Ave-Marias e um Glória-ao-Pai.

Nossa Senhora Aparecida

Ó incomparável Senhora da Conceição Aparecida. Mãe de meu Deus, rainha dos anjos, advogada dos pecadores, refúgio e consolação dos aflitos e atribulados, ó Virgem Santíssima, cheia de poder e bondade, lançai sobre nós um olhar favorável, para que sejamos socorridos em todas as necessidades. Lembrai-vos, clementíssima Mãe Aparecida, que não consta que de todos os que têm a vós recorrido, invocado vosso santíssimo nome e implorado vossa singular proteção, fosse por vós alguém abandonado. Animado com esta confiança a vós recorro: tomo-vos de hoje para sempre por minha mãe, minha consoladora e guia, minha esperança e minha luz na hora da morte. Assim, pois, Senhora, livrai-me de tudo o que possa ofender-vos e a vosso Filho, meu Redentor e Senhor Jesus Cristo. Virgem bendita, preservai este vosso indigno servo, esta casa e seus habitantes, da peste, fome, guerra, raios, tempestades e outros perigos e males que nos possam flagelar. Soberana Senhora, dignai-vos dirigir-nos em todos os negócios espirituais e temporais; livrai-nos da tentação do demônio, para que, trilhando o caminho da virtude, pelos merecimentos da vossa puríssima virgindade e do preciosíssimo Sangue de vosso filho, vos possamos ver, amar, e gozar na eterna glória, por todos os séculos dos séculos. Amém.

Nossa Senhora de Nazaré

Ó gloriosa Virgem de Nazaré, cujos louvores os anjos cantam no céu, também eu me junto de alma e coração a este hosana e vos dirijo minhas saudações. E já que nada recusais a vossos servos, alcançai-me todas as graças que são necessárias, mas principalmente a graça inestimável de amar a Jesus, como vós o amastes, e morrer como vós da morte dos justos. Amém.

Nossa Senhora do Perpétuo Socorro

Mãe do Perpétuo Socorro, sois a dispensadora de todas as graças que Deus concede a nós míseros pecadores e Ele vos fez tão poderosa, tão rica e tão benigna, para que estivésseis habilitada a socorrer-nos. Sois a advogada dos miseráveis que a vós recorrem; não abandoneis um pobre pecador que à vossa caridade se recomenda. Considerai-me do número de vossos mais fiéis servos; tomai-me sob a vossa proteção, que isto me basta; porque se vós me protegerdes, nenhuma coisa temo, nem mesmo os meus pecados, porque espero que me alcançareis o perdão deles. Temo somente que, por negligência minha, cesse de recomendar-me a vós e que deste modo me perca. Alcançai-me o perdão de meus pecados, o amor de Jesus Cristo, a perseverança final e a graça de recorrer sempre a vós, ó Mãe do Perpétuo Socorro.

Nossa Senhora do Desterro

Ó incomparável Senhora do Desterro! Mãe de Deus, Rainha dos anjos, advogada dos pecadores, refúgio e consolação dos aflitos e atribulados. Virgem Santíssima, cheia de poderes de bondade, lançai sobre nós um olhar favorável para que sejamos socorridos por vós em todas as necessidades em que nos achamos.

Lembrai-vos, ó clementíssima Mãe, Nossa Senhora do Desterro, que nunca se ouviu dizer que algum daqueles que têm recorrido, invocado vosso santíssimo nome e implorado vossa singular proteção fosse por vós abandonado. Animados com esta confiança, a vós recorremos tomando-vos de hoje para sempre por nossa Mãe, nossa protetora, consolação e guia, esperança e luz na hora da morte. Amém.

3 Ave-Marias.

Nossa Senhora do Desterro, rogai por nós que recorremos a vós.

Nossa Senhora do Bom Parto (1)

É a vós que agora me dirijo, de olhos postos em vós, Virgem Santíssima, Virgem antes do parto, Virgem no parto e Virgem depois do parto. É a vós que neste momento peço graças e auxílio, Virgem Santíssima e que imaculada sempre fostes por obra do Espírito Santo, que gerou em vosso ventre o esplendor de todos os tempos, do mundo inteiro, o vosso adorado e santo Filho, Jesus Cristo.

É em nome do vosso santo Filho, Virgem Santíssima, que aqui estou, de joelhos, a vos rogar que não me desampareis e a solicitar vossa indispensável assistência para que eu tenha um bom sucesso.

É a vós, Mãe Santíssima, que envio estas súplicas sinceras, na certeza de que sabereis me compreender e me amparar neste delicado transe. Amém.

Nossa Senhora da Cabeça

Salve, Imaculada, Rainha da Glória, Virgem Santíssima da Cabeça, em cujo admirável título fundam-se nossas esperanças, por serdes Rainha e Senhora de todas as criaturas.

Esta jaculatória, repetida milhares de vezes em todo o universo, sobe ao trono de glória em que estais sentada e volta à terra trazendo aos pobres pecadores torrentes de luzes e de graças.

Socorrei-me, pois, ó dulcíssima Senhora da Cabeça. Eu vos suplico com filial confiança, pelos merecimentos das dores que sentistes ao ver vosso Divino Filho com a cabeça coroada de espinhos, que me livreis, e a todos os meus, de qualquer enfermidade da cabeça. Rogo-vos, também, ó Virgem poderosíssima da Cabeça, que intercedais junto ao Bom Jesus, vosso dileto Filho, pelos que sofrem desses males, a fim de que, completamente curados, glorifiquem a Deus e exaltem vossa maternal bondade.

Pai-nosso, Ave-Maria, Glória-ao-Pai e Salve-Rainha.

Nossa Senhora da Cabeça, rogai por nós.

Nossa Senhora da Medalha Milagrosa (2)

Ó Imaculada Virgem, Mãe de Deus e nossa Mãe, ao contemplar-vos de braços abertos espargindo graças sobre os que vo-las pedem, cheios da mais viva confiança na vossa poderosa e segura intercessão, inúmeras vezes manifestada pela Medalha Milagrosa, embora reconhecendo a nossa indignidade por causa de nossas numerosas culpas, ousamos acercar-nos de vossos pés para vos expor as nossas prementes necessidades... (Um instante de silêncio. Pedem-se as graças que se desejar).

Concedei, pois, ó Virgem da Medalha Milagrosa, este favor que confiantes vos solicitamos para maior glória de Deus, engradecimento do vosso nome e bem de nossas almas. E, para melhor servir-vos e ao vosso divino Filho, inspirai-nos um profundo ódio do pecado e dai-nos coragem de nos afirmar sempre verdadeiros cristãos. Amém.

3 Ave-Marias, acrescentando em cada uma: Ó Maria, concebida sem pecado, rogai por nós que recorremos a vós!

Oração final

Santíssima Virgem, eu creio e confesso vossa santa e Imaculada Conceição, pura e sem mancha. Ó puríssima Virgem Maria, por vossa Conceição Imaculada e gloriosa prerrogativa de Mãe de Deus, alcançai-me do vosso amado Filho a humildade, a caridade, a santa pureza de coração, de corpo e espírito, a perseverança na prática do bem, uma santa vida e uma santa morte. Amém.

Nossa Senhora dos Remédios

Ó Deus, concedei-nos, pela intercessão de Nossa Senhora dos Remédios, o alívio em todas as enfermidades, a força em nossas fraquezas para que, servindo-vos sãos de corpo e de espírito, possamos chegar à eterna bem-aventurança. Pelo mesmo Cristo Nosso Senhor. Amém.

Nossa Senhora do Montserrat

Ó clementíssima Virgem Maria, minha soberana e Mãe, augusta Senhora do Montserrat, venho lançar-me no seio da vossa misericórdia e ponho, desde agora e para sempre, a minha alma e o meu corpo debaixo da vossa salvaguarda e da vossa bendita proteção.

Confio-vos e entrego nas vossas mãos todas as minhas esperanças e consolações, todas as minhas penas e misérias, bem como o curso e o fim da minha vida, para que, por vossa intercessão e vossos merecimentos, todas as minhas ações se dirijam e se disponham segundo a vontade de vosso divino Filho, Nosso Senhor Jesus Cristo, e que minha alma depois desta vida possa alcançar a salvação eterna.

Ó Mãe, concebida sem pecado, rogai por nós, que recorremos a vós.

Nossa Senhora do Montserrat, rogai por nós.

Amém.

Nossa Senhora da Glória

Ó dulcíssima soberana, Rainha da Glória, bem sabemos que, miseráveis pecadores, não éramos dignos de vos possuir neste vale de lágrimas, mas sabemos também que a vossa grandeza não vos faz esquecer a nossa miséria e, no meio de tanta glória, a vossa compaixão, longe de diminuir, aumenta cada vez mais para conosco. Do alto desse trono em que reinais sobre todos os anjos e santos, volvei para nós os vossos olhos misericordiosos; vede a quantas tempestades e mil perigos estaremos, sem cessar, expostos até o fim de nossa vida! Pelos merecimentos de vossa bendita morte obtende-nos o aumento de fé, da confiança e da santa perseverança na amizade de Deus, para que possamos, um dia, ir beijar os vossos pés e unir as nossas vozes às dos espíritos celestes, para louvar e cantar as vossas glórias eternamente no céu. Assim seja.

3 Ave-Marias.

Nossa Senhora da Boa Viagem

Virgem Santíssima, Senhora da Boa Viagem, esperança infalível dos filhos da Santa Igreja, sois guia e eficaz auxílio dos que transpomos a vida por entre perigos do corpo e da alma.

Refugiando-nos sob o vosso olhar materno, empreendemos nossas viagens certos do êxito que obtivestes quando vos encaminhastes para visitar vossa prima Santa Isabel.

Em ascensão crescente na prática de todas as virtudes transcorreu a vossa vida, até o ditoso momento de subirdes gloriosa para os céus; nós vos suplicamos, pois, ó Mãe querida: velai por nós, indignos filhos vossos, alcançando-nos a graça de seguir os vossos passos, assistidos por Jesus e José, na peregrinação desta vida e na hora derradeira de nossa partida para a eternidade. Amém.

Nossa Senhora do Caravaggio

Lembrai-vos, ó puríssima Virgem Maria, que jamais se tem ouvido que deixásseis de socorrer e de consolar a quem vos invocou implorando a vossa proteção e assistência; assim, pois, animado com igual confiança, como

a mãe amantíssima, ó Virgem das virgens, a vós recorro; de vós me valho, gemendo sob o peso de meus pecados, humildemente me prostro a vossos pés. Não rejeiteis as minhas súplicas, ó Virgem do Caravaggio, mas dignai-vos de as ouvir propícia e de me alcançar a graça que vos peço. Amém.
3 Ave-Marias.

Nossa Senhora da Piedade

Prostrado aos vossos pés, ó grande Rainha dos céus, vos venero e confesso que sois filha do divino Pai, Mãe do Verbo divino e Esposa do Espírito Santo. Sois cheia de graça, de virtude e de dons celestes, sois templo puríssimo da Santíssima Trindade. Sois a tesoureira e dispenseira de suas misericórdias. Sendo vosso puríssimo coração cheio de caridade, de doçura e de ternura para conosco, pecadores, por isso vos chamamos mãe da divina Piedade. Por isso, com grande confiança me apresento a vós, mãe amorosíssima, aflito e angustiado, e vos peço fazer-me experimentar a caridade com que me amastes, concedendo-me a graça... se for conforme à divina vontade e para meu proveito. Volvei, vos suplico, os vossos puríssimos olhos a mim e a todos os meus próximos. Recordai-vos, terníssima mãe, que somos vossos filhos redimidos com o preciosíssimo sangue de vosso Unigênito. Dignai-vos rogar incessantemente à Santíssima Trindade, a fim de que nos conceda as graças com as quais os justos se santificam e os pecadores se convertem. Rogai, mãe amorosíssima, esta graça pela infinita bondade de Deus, pelos méritos de vosso santíssimo Filho, pela solicitude com que o servistes, pelo amor com que o amastes, pelas lágrimas que derramastes e pela dor que sofrestes em sua paixão. Alcançai-nos o grande dom que todo o mundo forme um povo e uma Igreja, que dê glória, honra e agradecimento à Santíssima Trindade e a vós que sois a medianeira. Esta graça nos conceda o poder do Pai, a sabedoria do Filho e a virtude do Espírito Santo. Assim seja.

Nossa Senhora da Consolação

Ó Santíssima Virgem Maria que, para inspirar-nos uma ilimitada confiança, quisestes tomar o dulcíssimo nome de Mãe da Consolação, eu vos suplico me consoleis em todo o tempo e lugar; em minhas tentações, nas minhas recaídas, dificuldades e misérias e mais que tudo na hora da morte. Concedei-me, ó amantíssima Mãe, o pensamento e o costume de recorrer sempre a vós porque estou certo de que sendo eu fiel em invocar-vos, vós mais o sereis em consolar-me. Obtende-me, pois, esta que é a maior das graças, recorrer a vós sem cessar e sempre, com confiança de filho, a fim de que, em virtude da minha constante súplica, mereça vossa perpétua consolação e a perseverança final.

Dai-me, ó terna e cuidadosa Mãe, a vossa bênção e rogai por mim agora e na hora da minha morte.
Amém.

Nossa Senhora do Sagrado Coração

Lembrai-vos, ó Nossa Senhora do Sagrado Coração, do poder inefável que o vosso divino Filho vos concedeu sobre o seu Coração adorável. Com a maior confiança em vossos merecimentos, nós vimos implorar a vossa proteção. Ó Celeste tesoureira do Coração de Jesus, daquele coração que é o manancial inexaurível de todas as graças, e que podeis abrir a vosso bel-prazer, para fazer descer sobre os homens todos os tesouros, de amor e misericórdia, de luz e salvação, que Ele encerra.

Concedei-nos, vo-lo pedimos, os favores que vos suplicamos. Não, não podemos receber de vós recusa alguma, e já que sois nossa mãe, ó Nossa Senhora do Sagrado Coração, acolhei benignamente as nossas preces e dignai-vos deferi-las. Assim seja.

Nossa Senhora do Ó

Ore por nós, Mãe da Igreja.

Virgem do Advento, esperança nossa, de Jesus a aurora, do céu a porta.

Mãe dos homens do mar das estrelas, leva-nos a Cristo, dá-nos as suas promessas. Vós sois, Virgem Mãe, cheia de graça, do Senhor escrava, do mundo a Rainha. Levante nossos olhos em direção à sua beleza. Amém!

Nossa Senhora do Bom Conselho

Ó virgem gloriosa, escolhida por decreto eterno para Mãe do Verbo eterno humanado, tesoureira das graças divinas e advogada dos pecadores! Eu, vosso indigno servo, recorro a vós para que me sejais guia e conselheira neste vale de lágrimas. Alcançai-me, pelo preciosíssimo sangue de vosso divino filho, o perdão de meus pecados, a salvação de minha alma e os meios necessários para obtê-la. Alcançai também para a santa Igreja a propagação do reino de Jesus Cristo em todo o mundo. Amém.

Nossa Senhora Desatadora dos Nós

Nossa Senhora Desatadora dos Nós, Mãe de Jesus, protetora nossa, intercedei junto a vosso filho para que possamos nos livrar dos nós que atrapalham nossa vida, dos ressentimentos e da falta de fé. Nossa Senhora Desatadora dos nós, mãe que nunca deixou de socorrer um filho aflito, voltai o vosso olhar sobre mim e vede o emaranhado de nós que há em minha vida.

Vós bem conheceis meu desespero, a minha dor e o quanto estou amarrado a estes nós. Confio em vós para desamarrar estes nós, devolvendo a paz tão necessária. Nossa Senhora Desatadora dos Nós, mãe ponderosa, peço vossa intercessão junto a Jesus, vosso amado filho, para desatar este nó... (fala-se o problema). Vós sois a minha esperança. Ouvi a minha súplica e livrai-me de todo mal. Nossa Senhora, Desatadora dos Nós, intercedei por nós. Amém.

Nossa Senhora dos Aflitos

Oração (1)

Aflita se viu a Virgem Maria aos pés da cruz. Aflito(a) vejo-me eu. Valei-me, Mãe de Jesus. Confio em Deus com todas as minhas forças, por isso peço que ilumine meus caminhos, concedendo-me a graça que tanto desejo... (fazer o pedido). Amém.

Oração (2)

Lembrai-vos, ó doce Mãe, Nossa Senhora dos Aflitos, que nos foi dada por Jesus para nosso amparo e proteção!
Cheios de confiança em vossa bondade, nós imploramos o vosso auxílio.
Socorrei-me e àqueles pelos quais eu rezo (faça seu pedido).
Mãe querida, Senhora dos Aflitos, acolhei benigna essas nossas súplicas e dignai-vos atendê-las. Estendei sobre nós a vossa intercessão, voltai para nós vossos olhos misericordiosos.
(Rezar uma Ave-Maria).
Coração de Jesus crucificado, fonte de amor e de perdão, tende piedade de nós!
Ó Virgem, Mãe dos Aflitos, estendei vosso manto protetor sobre mim e minha família.
Ó Virgem gloriosa e bendita. Amém.

Nossa Senhora do Bom Parto (2)

Nossa Senhora do Bom Parto, protetora das gestantes, ajudai-me durante toda a minha gestação, zelando por mim e por meu filho. Que eu sinta muita alegria durante toda a gravidez. Que eu saiba educar meu filho segundo os mandamentos cristãos.
Nossa Senhora do Bom Parto, intercedei junto a Deus--Pai para que eu possa receber meu filho em um ambiente agradável, cercado com carinho. Ensina-me a agradecer a Deus por esta vida que está se formando e que entrego de coração em tuas mãos protetoras.

Nossa Senhora do Bom Parto, tu que foste mãe, olha por mim, pois estou insegura em relação ao parto. Dá-me a graça de ter um parto feliz. Faz com que meu filho nasça com saúde, forte e perfeito.

Nossa Senhora do Bom Parto, roga por mim e por todas as gestantes. Amém.

Nossa Senhora da Boa Morte

Nossa Senhora, nossa mãe divina, precisamos de vosso auxílio e proteção mais uma vez. Vós que sofrestes a grande dor de perder vosso Filho, fazei-nos resignados perante os desígnios de Deus, ajudai-nos a ter fé, a conversar com Deus e a escutá-lo.

Ó querida Mãe, abri vossos braços e abraçai vosso filho... (falar o nome do enfermo) e concedei-lhe uma morte iluminada por Deus. Pedi a Deus que perdoe todas as suas faltas e seja misericordioso, socorrendo-o(a) na passagem para a vida eterna. Fazei-o(a) merecedor(a) da vida eterna junto a vós e a Jesus, seu filho amado.

Nossa Senhora da Boa Morte, peço-vos a graça de nos dar a força necessária para assumir, com amor, as horas difíceis a serem enfrentadas, aceitando a vontade de Deus, seus desígnios eternos e impenetráveis. Amém.

Nossa Senhora Auxiliadora

Santíssima Virgem Maria, a quem Deus constituiu auxiliadora dos cristãos, nós vos escolhemos como Senhora e Protetora desta casa. Dignai-vos mostrar aqui vosso auxílio poderoso. Preservai esta casa de todo perigo: do incêndio, da inundação, do raio, das tempestades, dos ladrões dos malfeitores, da guerra e de todas as outras calamidades que conheceis. Abençoai, protegei, defendei, guardai como coisa vossa as pessoas que vivem nesta casa.

Sobretudo concedei-lhes a graça mais importante: a de viverem sempre na amizade de Deus, evitando o pecado. Dai-lhes a fé que tivestes na Palavra de Deus e o amor que nutristes para com o vosso Filho Jesus e para com todos aqueles pelos quais Ele morreu na cruz.

Maria, Auxílio dos Cristãos, rogai por todos os que moram nesta casa que vos foi consagrada. Assim seja.

Nossa Senhora do Santíssimo Sacramento

Ó Virgem imaculada, Mãe do Salvador, cuja carne e sangue tomados em vosso castíssimo seio nos alimentam na divina Eucaristia, nós vos saudamos sob o título de Nossa Senhora do Santíssimo Sacramento, porque fostes a primeira a praticar os deveres da vida eucarística, ensinando-nos, com o vosso exemplo, a assistir ao santo sacrifício da missa, a comungar menos indignamente e a visitar frequentemente e com devoção o augustíssimo sacramento do altar.

Ó Maria, fazei que, seguindo os vossos passos, possamos cumprir sempre mais perfeitamente nossos sagrados deveres e mereçamos assim a eterna recompensa. Assim seja.

Ofício da Imaculada Conceição da Virgem Maria

Deus vos salve, Filha de Deus Pai,
Deus vos salve, Mãe de Deus filho,
Deus vos salve, Esposa do Espírito Santo,
Deus vos salve, sacrário da Santíssima Trindade.

Matinas

Agora, lábios meus, dizei e anunciai os grandes louvores da virgem Mãe de Deus.
Sede em meu favor, Virgem soberana; livrai-me do inimigo com vosso valor.
Glória seja ao Pai, ao Filho e ao Amor também, que é um só Deus em três pessoas, agora e sempre, e sem fim. Amém.

HINO

Deus vos salve, Virgem
Senhora do mundo,
Rainha dos céus
e das virgens Virgem.

Estrela da manhã,
Deus vos salve, cheia
de graça divina, formosa e louçã.

Dai pressa, Senhora,
em favor do mundo,
pois vos reconhece
como defensora.

Deus vos nomeou já lá "ab aeterno"
para Mãe do Verbo,
com o qual criou
Terra, mar e céus; e vos escolheu,
quando Adão pecou,
por esposa de Deus,

Deus a escolheu e, já muito dantes,
em seu tabernáculo
morada lhe deu.

Ouvi, Mãe de Deus,
minha oração,
toquem em vosso peito
os clamores meus.

ORAÇÃO

Santa Maria, Rainha dos céus, Mãe de Nosso Senhor Jesus Cristo, Senhora do mundo, que a nenhum pecador desamparais nem desprezais: ponde, Senhora, em mim os olhos de vossa piedade e alcançai-me de vosso amado Filho o perdão de todos os meus pecados, para que eu, que agora venero com devoção vossa santa imaculada Conceição, mereça na outra vida alcançar o prêmio da bem-aventurança por mercê de vosso benditíssimo Filho Jesus Cristo, Nosso Senhor, que com o Pai e o Espírito Santo vive e reina para sempre. Amém.

Prima

Sede em meu favor... Glória seja ao Pai etc.

HINO

Deus vos salve, mesa
para Deus ornada,
coluna sagrada,
de grande firmeza;

Casa dedicada
a Deus sempiterno,
sempre preservada,
Virgem, do pecado.
Antes que nascida
fostes, Virgem, santa;
no ventre ditoso
de Ana concebida.

Sois Mãe criadora
dos mortais viventes;
sois dos santos porta,
dos anjos Senhora.

Sois forte esquadrão
contra o inimigo,
estrela de Jacó,
refúgio do cristão.

A Virgem, a criou
Deus no Espírito Santo;
e todas as suas obras, com elas se ornou.
Ouvi, Mãe de Deus...

ORAÇÃO

Santa Maria... (como nas Matinas).

Terça

Sede em meu favor... Glória seja ao Pai etc.
Deus vos salve, trono
do grão Salomão,

arca do concerto,
velo de Gedeão;

Íris do céu clara,
sarça de visão,
fava de Sansão,
florescente vara;
A qual escolheu
para ser mãe sua,
e de vós nasceu,
o filho de Deus.

Assim vos livrou
da culpa original;
de nenhum pecado
há em vós sinal.

HINO

Vós, que habitais
lá nessas alturas
e tendes vosso trono
sobre as nuvens puras.
Ouvi, Mãe de Deus...

ORAÇÃO

Santa Maria... (como nas Matinas).

Sexta

Sede em meu favor... Glória seja ao Pai etc.

HINO

Deus vos salve, Virgem,
da Trindade templo,
alegria dos anjos,
da pureza exemplo;

Que alegrais os tristes
com vossa clemência,
horto de deleites,
palma de paciência.

Sois terra bendita
e sacerdotal;
sois da castidade
símbolo real;

Cidade do Altíssimo,
porta oriental,
sois a mesma graça,
Virgem singular.

Qual lírio cheiroso
entre espinhas duras,
tal sois vós, Senhora,
entre as criaturas.
Ouvi, Mãe de Deus...

ORAÇÃO

Santa Maria... (como nas Matinas).

Noa

Sede em meu favor... Glória seja ao Pai etc.

HINO

Deus vos salve, cidade
de torres guarnecida,
de Davi com armas
bem fortalecida.

De suma caridade
sempre abrasada
do dragão a força,
foi por vós prostrada.
Ó mulher tão forte,
ó invicta Judite!
Vós que alentastes
o sumo Davi!

Do Egito o curador
de Raquel nasceu;
do mundo o Salvador,
Maria no-lo deu.

Toda é formosa
minha companheira;
nela não há mácula
da culpa primeira.
Ouvi, Mãe de Deus...

ORAÇÃO

Santa Maria... (como nas Matinas).

Vésperas

Sede em meu favor... Glória seja ao Pai etc.

HINO

Deus vos salve, relógio,
que, andando atrasado,
serviu de sinal
ao Verbo Encarnado.

Para que o homem suba
às sumas alturas,
desce Deus dos céus
para as criaturas.

Com os raios claros
do sol da justiça,
resplandece a Virgem,
dando ao sol cobiça.
Sois lírio formoso,
que cheiro respire
entre os espinhos;
da serpente a ira.

Vós a quebrantais
com vosso poder;

os cegos errados,
Vós alumiais.
Fizestes nascer
sol tão fecundo;
e, como com nuvens,
cobristes o mundo.
Ouvi, Mãe de Deus...

ORAÇÃO

Santa Maria... (como nas Matinas).

Completas

Rogai a Deus, vós,
Virgem, nos converta,
que a sua ira
aparte de nós.
Sede em meu favor... Glória seja ao Pai etc.

HINO

Deus vos salve, Virgem,
Mãe imaculada,
Rainha de clemência,
de estrelas coroada.
Vós, sobre os anjos,
sois purificada,
de Deus à mão direita,
estais de ouro ornada.

Por vós, Mãe de graça,
mereçamos ver
a Deus nas alturas,
com todo o prazer.

Pois sois esperança
dos pobres errantes
e seguro porto aos navegantes;

Estrela do mar e saúde certa,
e porta que estais
para o céu aberta.

É óleo derramado,
Virgem, vosso nome;
e os vossos servos
vos hão sempre amado.
Ouvi, Mãe de Deus...

ORAÇÃO

Santa Maria... (como nas Matinas).

OFERECIMENTO

Humildes oferecemos
a vós, Virgem pia,
estas orações,
porque, em nossa guia,
Vade vós adiante
e, na agonia,
vós nos animais,
ó doce Maria. Amém.

Ladainhas

Ladainha de Nossa Senhora

Senhor, tende piedade de nós.
Jesus Cristo, tende piedade de nós.
Senhor, tende piedade de nós.
Jesus Cristo, ouvi-nos.
Jesus Cristo, atendei-nos.
Deus Pai dos céus, tende piedade de nós.
Deus Filho, redentor do mundo,
Deus Espírito Santo,
Santíssima Trindade, que sois um só Deus,
Santa Maria, rogai por nós.
Santa Mãe de Deus,
Santa Virgem das virgens,
Mãe de Jesus Cristo,
Mãe da divina graça,
Mãe puríssima,
Mãe castíssima,
Mãe imaculada,
Mãe intata,
Mãe amável,
Mãe admirável,

Mãe do bom conselho,
Mãe do Criador,
Mãe do Salvador,
Virgem prudentíssima,
Virgem venerável,
Virgem louvável,
Virgem poderosa,
Virgem benigna,
Virgem fiel,
Espelho de justiça,
Sede da sabedoria,
Causa de nossa alegria,
Vaso espiritual,
Vaso honorífico,
Vaso insigne de devoção,
Rosa mística,
Torre de Davi,
Torre de marfim,
Casa de ouro,
Arca da aliança,
Porta do céu,
Estrela da manhã,
Saúde dos enfermos,
Refúgio dos pecadores,
Consoladora dos aflitos,
Auxílio dos cristãos,
Rainha dos anjos,
Rainha dos patriarcas,
Rainha dos profetas,
Rainha dos apóstolos,
Rainha dos mártires,

Rainha dos confessores,
Rainha das virgens,
Rainha de todos os santos,
Rainha concebida sem pecado original,
Rainha assunta ao céu,
Rainha do santo rosário,
Rainha da paz.
Cordeiro de Deus, que tirais os pecados do mundo,
perdoai-nos, Senhor.
Cordeiro de Deus, que tirais os pecados do mundo,
ouvi-nos, Senhor.
Cordeiro de Deus, que tirais os pecados do mundo,
tende piedade de nós.
V. Rogai por nós, santa mãe de Deus.
R. Para que sejamos dignos das promessas de Cristo.

OREMOS: Senhor Deus, nós vos suplicamos que concedais a vossos servos perpétua saúde de alma e corpo; e que pela gloriosa intercessão da bem-aventurada sempre Virgem Maria sejamos livres da presente tristeza e gozemos da eterna alegria. Por Cristo Nosso Senhor. Amém.

Ladainha do Sagrado Coração de Jesus

Senhor, tende piedade de nós.
Jesus Cristo, tende piedade de nós.
Senhor, tende piedade de nós.
Jesus Cristo, ouvi-nos.
Jesus Cristo, atendei-nos.
Deus Pai dos céus, tende piedade de nós.
Deus Filho, Redentor do mundo,
Deus Espírito Santo,

Santíssima Trindade, que sois um só Deus,
Coração de Jesus, Filho do Pai Eterno,
Coração de Jesus, formado pelo Espírito Santo no seio da Virgem Maria,
Coração de Jesus, unido substancialmente ao Verbo de Deus,
Coração de Jesus, de majestade infinita,
Coração de Jesus, templo santo de Deus,
Coração de Jesus, tabernáculo do Altíssimo,
Coração de Jesus, casa de Deus e porta do céu,
Coração de Jesus, fornalha ardente de caridade,
Coração de Jesus, receptáculo de justiça e de amor,
Coração de Jesus, cheio de bondade e de amor,
Coração de Jesus, abismo de todas as virtudes,
Coração de Jesus, digníssimo de todo o louvor,
Coração de Jesus, Rei e centro de todos os corações,
Coração de Jesus, em que se encerram todos os tesouros da sabedoria e ciência,
Coração de Jesus, onde habita toda a plenitude da divindade,
Coração de Jesus, em que o Pai pôs toda a sua complacência,
Coração de Jesus, de cuja plenitude todos nós recebemos,
Coração de Jesus, o desejado das colinas eternas,
Coração de Jesus, paciente e de muita misericórdia,
Coração de Jesus, riquíssimo para todos que vos invocam,
Coração de Jesus, fonte de vida e santidade,
Coração de Jesus, propiciação por nossos pecados,
Coração de Jesus, saturado de opróbrios,
Coração de Jesus, triturado de dor por causa de nossos crimes,
Coração de Jesus, obediente até à morte,
Coração de Jesus, transpassado pela lança,

Coração de Jesus, fonte de toda a consolação,
Coração de Jesus, nossa vida e ressurreição,
Coração de Jesus, nossa paz e reconciliação,
Coração de Jesus, vítima dos pecadores,
Coração de Jesus, salvação dos que esperam em Vós,
Coração de Jesus, esperança dos que morrem em Vós,
Coração de Jesus, delícia de todos os santos,
Cordeiro de Deus, que tirais os pecados do mundo, perdoai-nos, Senhor.
Cordeiro de Deus, que tirais os pecados do mundo, ouvi-nos, Senhor.
Cordeiro de Deus, que tirais os pecados do mundo, tende piedade de nós.

– Jesus, manso e humilde de coração,
– Fazei nosso coração semelhante ao vosso.

OREMOS: Deus onipotente e eterno, olhai para o Coração de vosso Filho diletíssimo e para os louvores e as satisfações que Ele, em nome dos pecadores, vos tributa; e aos que imploram a vossa misericórdia concedei benigno o perdão em nome do vosso mesmo Filho Jesus Cristo, que convosco vive e reina pelos séculos dos séculos. Amém.

Ladainha de São José

Senhor, tende piedade de nós.
Jesus Cristo, tende piedade de nós.
Senhor, tende piedade de nós.
Jesus Cristo, ouvi-nos.
Jesus Cristo, atendei-nos.

Deus Pai dos céus, tende piedade de nós.
Deus Filho, redentor do mundo, Deus Espírito Santo,
Santíssima Trindade, que sois um só Deus,
Santa Maria, rogai por nós.
São José,
De Davi ilustre descendente,
Luz dos patriarcas,
Esposo da Mãe de Deus,
Guarda puríssimo da Virgem,
Nutrício do Filho de Deus,
Zeloso defensor de Cristo,
Chefe da Sagrada Família,
José justíssimo,
José castíssimo,
José prudentíssimo,
José fortíssimo,
José obedientíssimo,
José fidelíssimo,
Espelho da paciência,
Amante da pobreza,
Modelo dos operários,
Glória da vida doméstica,
Guarda das virgens,
Amparo das famílias,
Consolador dos aflitos,
Esperança dos enfermos,
Padroeiro dos moribundos,
Terror dos demônios,
Protetor da santa Igreja,

Cordeiro de Deus, que tirais os pecados do mundo, perdoai-nos, Senhor.

Cordeiro de Deus, que tirais os pecados do mundo, ouvi-nos, Senhor.

Cordeiro de Deus, que tirais os pecados do mundo, tende piedade de nós.

V. O Senhor o fez dono de sua casa.

R. E árbitro de todos os seus bens.

OREMOS: Ó Deus, que por inefável providência vos dignastes escolher o bem-aventurado José para esposo de vossa Mãe Santíssima, concedei-nos, nós vo-lo pedimos, que, venerando-o aqui na terra como protetor, mereçamos tê-lo no céu como intercessor: Vós que viveis e reinais nos séculos dos séculos. Amém.

Ladainha de Santo Antônio

Senhor, tende piedade de nós.

Jesus Cristo, tende piedade de nós.

Senhor, tende piedade de nós.

Jesus Cristo, ouvi-nos.

Jesus Cristo, atendei-nos.

Deus, Pai dos céus, tende piedade de nós.

Deus Filho, redentor do mundo,

Deus Espírito Santo,

Santíssima Trindade que sois um só Deus,

Santo Antônio de Pádua, rogai por nós.

Íntimo amigo do Menino Deus,

Servo da Mãe Imaculada,

Fidelíssimo filho de São Francisco,

Homem da santa oração,
Amigo da pobreza,
Lírio da castidade,
Modelo da obediência,
Amante da vida oculta,
Desprezador das glórias humanas,
Rosa da caridade,
Espelho de todas as virtudes,
Sacerdote segundo o Coração do Altíssimo,
Imitador dos apóstolos,
Mártir pelo desejo,
Coluna da Igreja,
Zeloso amante das almas,
Propugnador da fé,
Doutor da verdade,
Batalhador contra a falsidade,
Arca do testamento,
Trombeta do Evangelho,
Convertedor dos pecadores,
Extirpador dos crimes,
Restaurador da paz,
Reformador dos costumes,
Triunfador dos corações,
Auxiliador dos aflitos,
Terror dos demônios,
Ressuscitador dos mortos,
Restituidor das coisas perdidas,
Glorioso taumaturgo,
Santo do mundo inteiro,
Glória da ordem dos menores,
Alegria da corte celeste,

Nosso amável padroeiro,
Cordeiro de Deus, que tirais os pecados do mundo,
perdoai-nos, Senhor.
Cordeiro de Deus, que tirais os pecados do mundo,
ouvi-nos, Senhor.
Cordeiro de Deus, que tirais os pecados do mundo,
tende piedade de nós.
V. Rogai por nós, Santo Antônio.
R. Para que sejamos dignos das promessas de Cristo.

OREMOS: Alegre, Senhor Deus, a vossa Igreja, a solenidade votiva de Santo Antônio, vosso confessor, para que sempre se ache fortalecida com socorros espirituais, e mereça alcançar as alegrias eternas. Pelos merecimentos de Jesus Cristo Nosso Senhor. Amém.

Ladainha de São Francisco

Senhor, tende piedade de nós.
Jesus Cristo, tende piedade de nós,
Senhor, tende piedade de nós.
Jesus Cristo, ouvi-nos.
Jesus Cristo, atendei-nos.
Deus, Pai dos céus, tende piedade de nós.
Deus Filho, redentor do mundo,
Deus Espírito Santo,
Santíssima Trindade, que sois um só Deus,
Santa Maria, Virgem Imaculada, rogai por nós.
São Francisco seráfico,
São Francisco, pai sapientíssimo,
São Francisco, pai dos pobres,
São Francisco, que desprezastes o mundo,

São Francisco, espelho da penitência,
São Francisco, vencedor dos vícios,
São Francisco, zeloso imitador de Cristo,
São Francisco, com as chagas de Jesus adornado,
São Francisco, amante da pobreza,
São Francisco, mestre de obediência,
São Francisco, espelho puríssimo da castidade,
São Francisco, norma da humildade,
São Francisco, pai rico de graças,
São Francisco, caminho dos que erram,
São Francisco, auxílio dos enfermos,
São Francisco, coluna da Igreja,
São Francisco, protetor da fé,
São Francisco, herói valente de Cristo,
São Francisco, baluarte dos que pelejam,
São Francisco, escudo inexpugnável,
São Francisco, martelo dos hereges,
São Francisco, apóstolo dos infiéis,
São Francisco, sustentáculo dos fracos,
São Francisco, ressuscitador dos mortos,
São Francisco, saúde dos leprosos,
São Francisco, serafim do mais ardente amor,
Cordeiro de Deus, que tirais os pecados do mundo,
perdoai-nos, Senhor.
Cordeiro de Deus, que tirais os pecados do mundo,
ouvi-nos, Senhor.
Cordeiro de Deus, que tirais os pecados do mundo,
tende piedade de nós.
V. Rogai por nós, nosso pai São Francisco.
R. Para que sejamos dignos das promessas de Cristo.

OREMOS: Deus onipotente, cuja providência governa tudo, ouvi a oração de vossos servos e fazei que, celebrando devotamente a memória do glorioso confessor vosso, São Francisco, em virtude dos seus méritos, sejamos dignos de contemplar a glória do vosso Filho Unigênito, que convosco vive e reina pelos séculos dos séculos. Amém.

Devoção às almas do purgatório

Pelos falecidos

1. Pai Santo, Deus eterno e todo-poderoso, nós vos pedimos por (nome do falecido) que chamastes deste mundo. Dai-lhe a felicidade, a luz e a paz. Que ele(ela), tendo passado pela morte, participe do convívio de vossos santos na luz eterna, como prometestes a Abraão e à sua descendência. Que sua alma nada sofra, e vos digneis ressuscitá-lo(la) com os vossos santos no dia da ressurreição e da recompensa. Perdoai-lhe os pecados para que alcance junto a Vós a vida imortal no reino eterno. Por Jesus Cristo, vosso Filho, na unidade do Espírito Santo. Pai-nosso e Ave-Maria.

Dai-lhe, Senhor, o repouso eterno e brilhe para ele(ela) a vossa luz.

2. Nas vossas mãos, Pai de misericórdia, entregamos nosso(a) querido(a) (nome do falecido), na firme esperança de que ele(ela) ressuscitará com Cristo no último dia, como todos os que em Cristo adormeceram. Nós vos damos graças por todos os dons que lhe concedestes na sua vida mortal. Escutai, Senhor, as nossas preces: abri para ele(ela) as portas do paraíso, e a nós que ficamos conce-

dei que nos consolemos uns aos outros com as palavras da fé. É o que vos pedimos por Jesus Cristo, vosso Filho, na unidade do Espírito Santo.

Pai-nosso e Ave-Maria.

Dai-lhe, Senhor, o repouso eterno e brilhe para ele(ela) a vossa luz.

Nossa Senhora da Consolação pelas almas

Ó Mãe compassiva da Consolação, olhai, vos rogo, para as benditas almas do purgatório. Elas são o caríssimo objeto de amor de vosso divino Filho; elas o amaram durante a vida e ao presente ardem em desejos de vê-lo e possuí-lo; não podem, porém, romper por si mesmas as cadeias e nem sair desta situação. Que o vosso terno coração se comova por elas. Dignai-vos consolar aquelas almas que vos amam e, constantes, suspiram por vós; são filhas vossas, mostrai que sois para elas Mãe da Consolação. Visitai-as, mitigai-lhes as penas, abreviai-lhes a expectativa, apressai-vos em libertá-las, alcançando que o vosso divino Filho lhes aplique os merecimentos infinitos do santo sacrifício que por elas se celebra.

Pai-nosso, Ave-Maria e Glória-ao-Pai.

Pelas almas

Ó Pai das misericórdias, Deus de infinita bondade, humildemente vos rogamos tenhais piedade das almas santas que estão no purgatório, especialmente dos nossos parentes e benfeitores. Lançai um olhar propício sobre elas e chamai-as para a posse da pátria celestial. Lembrai-vos que elas são obras de vossas mãos e o preço do sangue preciosíssimo de vosso divino Filho Jesus.

Dignai-vos, pois, usar com elas a vossa infinita misericórdia. Ouvi, Senhor, o pedido que vos fazemos com toda confiança, em vista dos merecimentos da paixão e morte de Jesus, e fazei que elas fiquem consoladas indo gozar, sem demora, aquela glória imortal que tendes preparado para os vossos eleitos.

Misericordioso Senhor, tende piedade das benditas almas do purgatório.

Dai-lhes, Senhor, o eterno descanso.

E entre os resplendores da luz perpétua fazei que descansem em paz.

Devoção aos santos

São José

Oração (1)

A vós, São José, recorremos em nossa tribulação e cheios de confiança solicitamos o vosso patrocínio. Por esse laço sagrado de caridade que vos uniu à virgem imaculada, Mãe de Deus, e pelo amor paternal que tivestes ao Menino Jesus, ardentemente suplicamos que lanceis um olhar benigno sobre a herança que Jesus Cristo conquistou com seu sangue, e nos socorrais em nossas necessidades com o vosso auxílio e poder. Protegei, ó guarda providente da divina família, o povo eleito de Jesus Cristo. Afastai para longe de nós, ó pai amantíssimo, a peste do erro e do vício. Assisti-nos do alto do céu, ó nosso fortíssimo sustentáculo, na luta contra o poder das trevas e assim como outrora salvastes da morte a vida ameaçada do Menino Jesus, assim também defendei agora a santa Igreja de Deus das ciladas de seus inimigos e de toda a adversidade. Amparai a cada um de nós com o vosso constante patrocínio, a fim de que, a vosso exemplo e sustentados com o vosso auxílio, possamos viver virtuosamente, morrer piedosamente, e obter no céu a eterna bem-aventurança. Amém.

Oração (2)
(Por uma causa difícil)

Ó glorioso São José, a quem foi dado o poder de tornar possíveis as coisas humanamente impossíveis, vinde em nosso auxílio nas dificuldades em que nos achamos. Tomai sob vossa proteção a causa importante que vos confiamos, para que tenha uma solução favorável.

Ó pai amantíssimo, em vós depositamos toda a nossa confiança. Que ninguém possa jamais dizer que vos invocamos em vão. Já que tudo podeis junto a Jesus e Maria, mostrai que vossa bondade é igual ao vosso poder.

São José, a quem Deus confiou o cuidado da mais santa família, sede, nós vo-lo pedimos, o pai e protetor da nossa e impetrai-nos a graça de viver e morrer no amor de Jesus e Maria. São José do perpétuo socorro, rogai por nós que recorremos a vós.

Oração (3)

Lembrai-vos, ó castíssimo esposo da Virgem Maria, São José, meu amado protetor, que nunca se ouviu dizer que algum daqueles que invocaram vossa proteção e imploraram o vosso socorro tivesse ficado sem consolação. Cheio de confiança, apresento-me diante de vós e me recomendo com fervor ao vosso patrocínio. Ah! Não desatendais às minhas orações, ó pai nutrício do redentor; mas ouvi-nos favoravelmente e dignai-vos acolhê-las. Amém.

São Francisco de Assis

Oração (1)

Ó glorioso pai São Francisco, a quem o Senhor, por um prodígio de graça, se dignou tornar desde o berço até à morte uma viva imagem sua! Vós que lhe consagrastes todo o vosso coração e todo o vosso ser e que protestáveis desejar fazer por Ele, mediante seu divino auxílio, obras cada vez maiores, dignai-vos, ó grande patriarca, lá dos céus onde estais, de lançar sobre nós vossa bênção. Por aquele divino amor, que tanto vos abrasava, pelo qual pedíeis a Deus de morrer pelo amor dele, como Ele tinha morrido pelo amor de vós, e pelo qual vos imprimiu suas cinco chagas, lembrai-vos de nós. Rogai, ó grande santo, pela santa Igreja, da qual o Senhor vos quis fazer forte e inabalável coluna. Rogai à Virgem santíssima da Conceição, à doce e excelsa Maria, poderosa protetora das vossas três ordens, que proteja o Sumo Pontífice, chefe visível da Igreja, e alcance que essa Igreja, reunindo em seu seio seus filhos, chame também a si todos aqueles que dela se acham extraviados para que todos juntos cantemos no céu eternamente as misericórdias do Senhor. Amém.

Oração (2)

Ó glorioso São Francisco, nosso grande padroeiro, a vós recorremos atraídos pela doçura de vossa santidade. Protegei-nos e abençoai-nos. Vós que nos ensinastes a procurar neste mundo a perfeita alegria no amor de Deus e do próximo; vós que tanto amastes os homens e a natureza toda, porque proclama a glória e a sabedoria do Criador, fazei-nos servir a Deus na alegria, ajudar o próximo o melhor possível, amar até as mais fracas criaturinhas e, com os nossos bons exemplos e boas ações, espalhar em torno de nós os benefícios da fraternidade cristã. Assim seja.

Santo Antônio

Lembrai-vos, ó glorioso Santo Antônio, amigo do Menino Deus e servo fiel de Maria Santíssima, que nunca se ouviu dizer que alguém que a vós tenha recorrido ou tenha implorado vossa proteção tenha ficado desatendido. É isto que me enche de confiança e me anima recorrer também a vós.

Sinto-me oprimido por meus pecados, mas, mesmo sentindo-me pecador, ouso dirigir-me a vós para expor minhas necessidades e aflições. Não rejeiteis a minha oração, vós que sois tão poderoso junto ao Coração de Cristo, e obtende-me a graça que confiadamente vos peço (expor o pedido).

Para que nunca falte o pão

Santo Antônio, amigo dos pobres, que inspirais vossos devotos a vos honrar oferecendo pão aos necessitados, eu vos rogo a graça de nunca ter falta de pão na minha mesa, pão ganho com meu trabalho e suor. Em troca vos prometo sempre olhar pelos mais necessitados, oferecendo um pouco daquele pão que sempre enviareis à minha mesa. Sobretudo, ajudai-me a buscar sempre o Pão vivo descido do Céu, que é o Cristo na comunhão, verdadeiro alimento de vida eterna. Vós que tantas vezes o tivestes em vossas mãos, fazei que também este pão nunca me falte e eu o tenha sobretudo na hora da minha morte. Assim seja.

Para pedir serviço

Santo Antônio, em vossa vida procurastes sempre trabalhar pela glória de Deus e salvação das almas. Olhai minha necessidade. Preciso de trabalho para cumprir o mandamento do Senhor e preciso também para meu próprio sustento e o de meus familiares. Vós que podeis tanto junto de Deus fazei com que encontre um trabalho digno, remunerado, honrado, para que possa sentir a alegria de estar servindo a Deus e cumprindo minha obrigação para com aqueles que me confiou Deus. Ajudai-me, pois, neste momento angustioso, vós que sabeis o valor do trabalho e o sacrifício da fome.

Oração dos namorados

Santo Antônio, que sois invocado como protetor dos namorados, olhai por mim nesta importante fase da minha vida, para que não perturbe este tempo bonito com futilidades, mas o aproveite para um melhor conhecimento daquele ser que Deus colocou ao meu lado e para que ele melhor me conheça. Assim, juntos preparemos o nosso futuro, onde nos aguarda uma família que, com vossa proteção, queremos cheia de amor, de felicidade, mas sobretudo cheia da presença de Deus.

Santo Antônio, padroeiro dos namorados, abençoai este nosso namoro, para que transcorra no amor, na pureza, na compreensão e na sinceridade. Amém.

Para pedir saúde

Santo Antônio, sabeis quão preciosa é a saúde para que possamos realizar a vontade de Deus no mundo. Olhai por mim, vós que sofrestes e aliviastes o sofrimento dos outros, e alcançai-me de Deus a cura do mal que me aflige (ou que aflige outra pessoa) e, se for a vontade de Deus, fazei que eu recupere logo a saúde e com ela louve a Deus e vós que dele me alcançastes. Ao mesmo tempo, vos peço me ensineis a empregar bem minha saúde, na terra, para que Deus, um dia, conte para minha glória eterna aquilo que na terra consegui realizar. Amém.

Quando a solidão pesa

Meu Santo Antônio, que fostes tão íntimo de Deus e conseguistes encher toda a vossa vida com sua presença, vede quanto me pesa a minha solidão. Sinto-me só, sem corações que se me abram, sem alguém com quem partilhar minhas alegrias e minhas tristezas. Peço-vos, antes de tudo, façais com que Deus seja tudo para mim e depois ajudai-me a encontrar aquele coração compreensivo em quem possa confiar e com quem possa partilhar meu amor, minhas alegrias e minhas preocupações. Acompanhai-me para que não sucumba só, mas ache Deus nesta solidão e um enviado de Deus. Assim seja.

Cinco minutos diante de Santo Antônio

Há quanto tempo te esperava, ó alma devota, pois bem conheço as graças de que necessitas e que queres que eu peça ao Senhor.

Estou disposto a fazer tudo por ti; mas, filho, dize-me uma a uma todas as tuas necessidades, pois desejo ser o intermediário entre tua alma e Deus com o fim de suavizar teus males. Sinto a aflição de teu coração e quero unir-me às tuas amarguras.

Desejas o meu auxílio no teu negócio..., queres a minha proteção para restituir a paz na tua família..., tens desejo de conseguir algum emprego..., queres ajudar alguns pobres..., alguma pessoa necessitada..., desejas que cesse alguma tribulação..., queres a tua saúde ou a de alguém a quem muito estimas? Coragem, que tudo obterás.

Agradam-me também as almas sinceras que tomam sobre si as dores alheias, como se fossem próprias. Mas eu bem vejo como desejas aquela graça que há tanto tempo me pedes.

Tem fé que não tardará a hora em que hás de obtê-la.

Uma coisa, porém, desejo de ti. Quero que sejas mais assíduo ao Santíssimo Sacramento; mais devoto para com a nossa Mãe, Maria Santíssima; quero que me propagues a minha devoção e ajudes meus pobres. Oh! quanto isso me agrada ao coração! Não sei negar nenhuma graça àqueles que socorrem os outros por meu amor, e bem sabes quantos favores são obtidos por esse meio.

Quantos, com viva fé, têm recorrido a mim com o pão dos pobres na mão e são atendidos! Invocam-me para ter êxito feliz em um negócio, para achar um objeto perdido, para obter a saúde de uma pessoa enferma, para conseguir a conversão de alguém afastado de Deus, e eu, por amor dos meus pobres cuja miséria está a meu cargo, obtenho de Deus tudo o que pedem e ainda muito mais. Temes que eu não faça outro tanto por ti? Não penses nisso porque prezo muito as prerrogativas concedidas por Deus de ser – o santo dos milagres. Muitos outros, como tu, têm precisado de mim e temem pedir-me, pensando que me importunam. Leio tudo no fundo do coração e a tudo darei remédio; hei de obter as graças; não temas.

Agora, volta às tuas ocupações e não te esqueças do que te recomendei; vem sempre procurar-me, porque eu te espero; tuas visitas me hão de ser sempre agradáveis, porque amigo afeiçoado como eu não acharás.

Deixo-te no coração sagrado de Jesus e também no de Maria e no de São José.

Pai-nosso, Ave-Maria e Glória-ao-Pai.

Santo Antônio

Responsório

Se milagres tu procuras,
Pede-os logo a Santo Antônio:
Fogem dele as desventuras,
O erro, os males e o demônio.

Torna manso o iroso mar,
Da prisão quebra as correntes,
Bens perdidos faz achar
E dá saúde aos doentes.

Aflições, perigos cedem,
Pela sua intercessão:
Dons recebem se lhos pedem
O mancebo e o ancião.

Em qualquer necessidade,
Presta auxílios soberanos.
De sua alta caridade
Fale a voz dos paduanos.

Glória seja dada ao Pai,
Glória ao Filho, nosso Bem.
E glória ao Espírito Santo,
Nos séculos sem fim, amém.
V. Rogai por nós Santo Antônio.
R. Para que sejamos dignos das promessas de Cristo.

OREMOS: Alegre, Senhor, vossa Igreja a intercessão votiva do vosso confessor, o glorioso Santo Antônio, para que se fortaleça sempre com espirituais auxílios, e mereça desfrutar as alegrias eternas. Por Jesus Cristo Senhor Nosso. Amém.

São João Batista

Glorioso São João Batista, que fostes santificado no seio materno, ao ouvir vossa mãe a saudação de Maria Santíssima, e canonizado ainda em vida pelo mesmo Jesus Cristo, que declarou solenemente não haver entre os nascidos de mulheres nenhum maior do que vós; por intercessão da Virgem e pelos infinitos merecimentos do seu divino Filho, de quem fostes precursor, anunciando-o como Messias e apontando-o como o Cordeiro de Deus que tira o pecado do mundo, alcançai-nos a graça de darmos também nós testemunho da verdade e selá-lo até, se preciso for, com o próprio sangue, como o fizestes vós, degolado iniquamente por ordem de um rei cruel e sensual, cujos desmandos e caprichos havíeis justamente verberado.

Abençoai esta vossa casa e fazei que aqui floresçam todas as virtudes que praticastes em vida, para que, verdadeiramente animados do vosso espírito, no estado em que Deus nos colocou, possamos um dia gozar convosco da bem-aventurança eterna. Assim seja.

Santo Afonso Maria de Ligório

Ó glorioso e muito amado protetor meu, Santo Afonso, vós, que tanto haveis trabalhado e sofrido para assegurar aos homens o fruto da redenção, valei às necessidades da minha pobre alma. Por vossa tão poderosa intercessão para com Jesus e Maria, obtende-me a verdadeira contrição e o perdão das minhas faltas passadas, um horror profundo ao pecado e fortaleza suficiente para resistir às tentações. Comunicai-me, vos suplico, uma centelha daquela caridade ardente em que o vosso coração sempre viveu inflamado. Fazei que, à vossa imitação, a vontade de Deus seja a regra única de minha vida. Alcançai-me um ardente e constante amor a Jesus, uma terna e fiel devoção a Maria; a graça de orar sempre e de perseverar ao serviço até chegar o dia mil vezes ditoso em que possa ir juntar-me convosco, para vos louvar por toda a eternidade. Amém.

Pai-nosso, Ave-Maria, Glória-ao-Pai.

São Sebastião

Glorioso mártir, valoroso São Sebastião, soldado de Jesus Cristo, que morrestes trespassado de flechas, amarrado a um tronco de laranjeira. Pelos vossos méritos, sede o nosso protetor guardando-nos, livrando-nos dos perigos que nos ameaçam, a nós, à nossa família e a toda a humanidade. Senhor Deus todo-poderoso, pela intercessão do mártir São Sebastião atendei a nossa prece. Jesus Cristo, Filho de Deus, sede propício aos rogos que vos dirigimos por intermédio de São Sebastião. Glorioso mártir, protegei-nos contra a peste, contra o mal terrível que nos ameaça e que tem ceifado tantas vidas preciosas.

São Pedro

Ó glorioso São Pedro, Príncipe dos Apóstolos, a quem o Senhor Jesus escolheu para ser o fundamento de sua Igreja, entregou as chaves do Reino dos Céus e constituiu Pastor universal de todos os fiéis, queremos ser sempre vossos súditos e filhos. Confiantes na palavra do Senhor que vos disse: "Tudo o que ligares na terra será ligado nos céus", e no encargo que vos deu de confirmar os irmãos na fé. Concedei-nos a graça de, diante da diversidade das opiniões dos homens, saber, como vós, professar com firmeza nossa fé em Cristo, Filho de Deus, e permanecer naquele amor a Jesus que, por três vezes, proclamastes após a ressurreição.

Dai-nos que, fiéis aos ensinamentos do Evangelho, permaneçamos unidos no rebanho do Senhor, confiado à vossa guarda, e no amor ao Santo Padre, vosso legítimo sucessor, a fim de que, após o tempo desta vida, possamos nos unir para sempre à Igreja triunfante no céu. Amém.

Santa Margarida Maria

Bem-aventurada Santa Margarida, a quem Deus escolheu para dar a conhecer aos homens os tesouros de amor e de graças do Coração amabilíssimo de Jesus, alcançai-nos deste Coração divino o exercício das sublimes virtudes pelas quais fostes dele tão amada. Obtende-nos, ó Santa Margarida, uma profunda humildade, uma fé viva, uma caridade ardente; para que assim avaliando convenientemente o dom que Jesus nos quis fazer de seu Coração santíssimo, em todas as nossas adversidades, dúvidas, tentações e perigos possamos refugiar-nos com filial confiança naquele sacrário augustíssimo e encontrar nele o remédio de todos os nossos males: para que, vivendo e agindo unicamente nele, tenhamos a felicidade de chegar um dia ao céu, para convosco louvar e glorificar o divino Coração por toda a eternidade. Amém.

São Cristóvão, padroeiro dos motoristas

Ó glorioso mártir São Cristóvão, alma generosa que caminhastes como gigante nos caminhos da virtude, até o extremo de confessar o vosso batismo, misturando o vosso sangue ao precioso Sangue de Jesus Cristo, divino Redentor nosso. Confiados na eficácia de vossa intercessão, nós vos rogamos que nos livreis de todos os perigos e acidentes nas viagens que empreendemos durante esta vida e sobretudo na última jornada para a casa de nossa eternidade.

À vossa proteção recorremos, Santa Mãe de Deus, livrai-nos sempre de todos os perigos.
Pai-nosso, Ave-Maria, Glória-ao-Pai.

São Cristóvão

Glorioso mártir São Cristóvão, que pela vossa virtude merecestes levar aos vossos ombros o próprio Senhor Jesus Cristo, em forma de tenra criança, tão unido a vós que todos os povos nos flagelos da seca, da provação, dos terremotos, dos raios, das tempestades, dos incêndios e das inundações, encontraram sempre a eficácia da vossa intercessão... Sim, rogai pelos vossos devotos e nos preservai dos mesmos flagelos públicos, especialmente na cegueira de tudo que é pecado, conduzindo-nos sempre a Deus, a fim de que um dia sejamos recebidos no porto seguro da felicidade eterna.
Pai-nosso, Ave-Maria e Glória-ao-Pai. São Cristóvão, rogai por nós.

São Benedito

Glorioso São Benedito, grande confessor da fé, com toda confiança venho implorar a vossa valiosa proteção. Vós, a quem Deus enriqueceu com os dons celestes, impetrai-me as graças que ardentemente desejo, para maior glória de Deus. Confortai o meu coração nos desalentos. Fortificai minha vontade para cumprir bem os meus deveres. Vinde orientar-me nas horas decisivas da vida. Dai-me confiança nos desânimos e sofrimentos. Sede o meu companheiro nas horas de solidão e desconforto. Assisti-me e guiai-me na vida e na hora da minha mor-

te, para que eu possa bendizer a Deus neste mundo e
gozá-lo na eternidade com Jesus Cristo, a quem tanto
amastes. Assim seja.

Santa Luzia

Ó virgem admirável, cheia de firmeza e de constância,
que nem as pompas humanas puderam seduzir, nem as
promessas, nem as ameaças, nem a força bruta puderam
abalar, porque soubestes ser o templo vivo do Divino
Espírito Santo.

O mundo cristão vos proclamou advogada da luz dos nossos olhos; defendei-nos, pois, de toda moléstia que possa
prejudicar a nossa vista. Alcançai-nos a luz sobrenatural
da fé, esperança e caridade para que nos desapeguemos
das coisas materiais e terrestres e tenhamos a força para
vencer o inimigo e assim possamos contemplar-vos na
glória celeste. Amém.

São Justino

Deus e Senhor nosso, de quem todo o bem procede, nós
vos damos graças por terdes cumulado vosso servo São
Justino com a abundância de vossos favores, por lhe terdes concedido a insigne graça do martírio.

Que nos podereis recusar, ó grande Deus, quando vos
pedimos graças em nome desse vosso servo predileto?

Ah! lembrai-vos de seu amor, lembrai-vos de seu martírio,
lembrai-vos da glória que lhe concedestes e dai-nos em
vossa misericórdia os benefícios que de vós esperamos.
Assim seja.

Pai-nosso, Ave-Maria e Glória-ao-Pai.

Frei Galvão (Santo Antônio de Sant'Anna Galvão)

Oração (1)

Frei Galvão, vós que tivestes tanta fé na Santíssima Trindade, alcançai-nos a graça de uma grande fé e intercedei junto ao Pai por nossas vidas, nossas famílias e pela saúde de todos nós. Por Cristo, Nosso Senhor. Amém.

(Oração 2, em caso de enfermidade)

Frei Galvão, vós que, por inspiração divina, criastes pílulas devocionais para ajudar os enfermos, intercedei junto à Virgem Maria para que alcancemos a graça de que tanto precisamos (pede-se a graça).

Iluminai os médicos para que descubram logo a doença para iniciarem repidamente o tratamento de... (fala-se o nome do doente).

Rogai por (fala-se o nome do doente) para que obtenha da Virgem Maria e do Pai Celestial a cura de que necessita. Amém.

São João Paulo II

Oração (1)

Ó Trindade santa, nós vos agradecemos por ter dado à Igreja São João Paulo II e por ter feito resplandecer nele a ternura da vossa paternidade, a glória da cruz de Cristo e o esplendor do Espírito de amor.

Confiando totalmente na sua infinita misericórdia e na maternal intercessão de Maria, ele foi para nós uma imagem viva de Jesus, o Bom Pastor, indicando-nos a santidade como a mais alta medida para alcançar a comunhão eterna convosco. Segundo a vossa vontade, concedei-nos, por sua intercessão, a graça que imploramos. Amém.

Oração (2)

São João Paulo II, intercedei por nós, pela nossa missão de ser luz no mundo, de levar o amor aos corações que estão feridos, machucados e que perderam a esperança. Como nosso bom pastor, ensinai-nos a trilhar este caminho de santidade e de perseverança na oração diante da dor e do sofrimento. Amém.

Santa Teresinha

Santa Teresinha do Menino Jesus que, na vossa curta existência, fostes um espelho de angélica pureza, de amor forte e de generoso abandono nas mãos de Deus, agora, que gozais do prêmio das vossas virtudes, lançai um olhar de compaixão sobre mim, que em vós confio, plenamente. Fazei vossa a minha aflição; dizei por mim uma palavra à Virgem Imaculada, de quem fostes a flor privilegiada, a Rainha do céu, que vos sorriu na manhã da vida. Suplicai a ela, tão poderosa sobre o coração de Jesus, que me obtenha a graça, que tanto desejo neste momento, fazendo-a acompanhar de uma bênção que me fortifique durante a vida, defenda-me no momento da morte e me conduza à eterna felicidade. Amém. Salve-Rainha.

Santa Rita de Cássia

Oração (1)

Beatíssima Rita de Cássia, preciosa flor achada nos campos da Igreja, a quem Deus chamou remédio dos aflitos; estrela brilhante que conduz os mortais a seguro salvamento; pelo sangue divino de Jesus vosso esposo e pela Conceição puríssima de sua santíssima Mãe, com a maior reverência vos suplico manifesteis comigo o poder e graça que vos comunicou o céu e vos digneis alcançar-me da infinita bondade de vosso Senhor, que eu consiga o que somente importa à sua glória e para bem de minha alma, vivendo e morrendo em santa paz. E se a piedade divina dignar-se conceder-me este favor que vos peço, manifestai vosso poder, ó minha santa protetora, amparando-me com a vossa intercessão, pela qual espero obter de Deus, com a vossa valiosa proteção, junto ao trono de vosso esposo Jesus Cristo para que viva e morra sem pecado. Alcançai-me a graça de não morrer de repente, mas fazei que, antes do dia da minha morte, fortalecido pelos sacramentos do corpo e sangue de Jesus Cristo e pela sagrada unção, seja preservado de todos os males e depois conduzido ao Reino do Céu. Amém.

Oração (2)

Ó Deus que na vossa infinita bondade vos dignastes olhar para a prece de vossa serva Santa Rita, concedendo pela sua intercessão o que é impossível à humana previdência, à indústria e ao esforço, como prêmio da sua firme confiança nas vossas promessas: tende piedade de nós em nossa adversidade e ajudai-nos em nossa tribulação, a fim de que os incrédulos possam conhecer que vós sois a recompensa dos humildes, a defesa dos devotos, a força dos que em vós confiam. Por Jesus Cristo Nosso Senhor. Amém.

Da esposa a Santa Rita

Ó gloriosa Santa Rita, vós que por obediência aos vossos pais vos sujeitastes ao estado conjugal e vos mostrastes nele o verdadeiro modelo da esposa cristã, eis-me aqui aos vossos pés para vos abrir meu coração que tanto precisa do auxílio do céu e de vossa proteção.

Vós que durante longos anos tão imerecidamente sofrestes na vida conjugal, ainda que fôsseis rica das maiores virtudes, impetrai-me do Senhor a força necessária para manter-me fiel a Deus e a meu esposo. Tomai conta de nós, santificai o nosso trabalho e abençoai todos os nossos empreendimentos para que tudo se converta em glória do Senhor e em nosso bem comum.

Nada perturbe a serenidade da nossa paz. Prospere a nossa casa com vossa proteção, ó Santa Rita! Assistam-na os anjos da paz, fuja dela toda a maligna discórdia, nela reine soberanamente a caridade, triunfe aquele amor que une dois corações, que liga entre si as almas remidas pelo sangue puríssimo de Jesus.

Apresentai, Santa Rita, esta oração ao Senhor; obtende-me ser atendida e fazei que um dia com o companheiro de minha vida eu chegue a louvar a Deus no céu.

Pai-nosso, Ave-Maria e Glória-ao-Pai.

São Joaquim e Santa Ana

Beatíssimos pais da Mãe de Deus, São Joaquim e Santa Ana, eu vos saúdo e bendigo com devoção e amor, e alegro-me de todo o meu coração convosco, pela vossa glória e por aquela sublime prerrogativa, pela qual Deus vos escolheu para serdes os pais da Mãe de Deus, Maria Santíssima. Rogai por mim a Jesus e Maria, para que lhes agrade de modo perfeito. Tende cuidado de mim como os pais o têm do filho. Sede meus consoladores na vida e na morte. Assisti-me na minha última agonia, para que dignamente receba os santos sacramentos da Igreja e, partindo deste mundo com o coração perfeitamente contrito, possa chegar ao céu, por Nosso Senhor Jesus Cristo. Amém.

Santa Ana

Ó misericordiosa e piedosíssima advogada minha, Santa Ana, vós que, por graça especial de Deus, fostes elevada à dignidade excelsa de mãe da Mãe de Jesus, por tão grande prerrogativa que alcançastes junto à Santíssima Trindade, consegui do Senhor a graça que tanto desejo (dizer a graça) se não servir de obstáculo à minha salvação. Suplico-vos pelo vosso dulcíssimo nome, que significa graça e misericórdia, pelo vosso espírito de adoração e de penitência, que me atendais. Ouvi sem demora a minha prece, despachai a minha súplica, consolai meu coração.
Pai-nosso, Ave-Maria, Glória-ao-Pai.
Ó Santa Ana, minha mãe,
Sê do céu a nossa guia,
Traze paz à nossa alma,
Por Jesus e por Maria.

São Joaquim

Ó grande patriarca São Joaquim, nosso glorioso padroeiro, nós, devotos vossos, nos regozijamos com o pensamento de terdes sido escolhido entre todos os santos para cooperar nos mistérios divinos e enriquecer o mundo com a bem-aventurada Mãe de Deus e nossa, vossa filha Maria Santíssima.

Por este singular privilégio, sois poderosíssimo junto à Mãe e ao Filho de Deus, de sorte que não há graça que não possais alcançar.

Recorro a vós, animado por essa confiança plena, pedindo vossa valiosíssima proteção e recomendando-vos todas as minhas necessidades espirituais e temporais, bem como as da minha família. Peço-vos, ó glorioso santo, a graça especial de (diga-se intimamente a graça que se deseja) e espero obtê-la pela vossa paternal intercessão. Peço particularmente a graça do amor perseverante a Jesus e Maria, a fim de que eu viva e morra na fé, esperança e caridade, invocando também o vosso bendito nome. Pai-nosso, Ave-Maria e Glória-ao-Pai.

São Francisco Xavier

Amabilíssimo santo, todo cheio de caridade e zelo; convosco, respeitosamente, adoro a divina Majestade e, porque singularmente me comprazo no pensamento dos dons especiais da graça com que fostes enriquecido em vida e na glória de vossa morte, rendo-lhe por eles as mais fervorosas ações de graças e suplico-vos, com todo o meu coração, que me alcanceis, por vossa poderosa intercessão, a graça tão importante de viver e morrer santamente. Suplico-vos, também, que me alcanceis a graça... e, se o que peço não é para glória de Deus e maior bem da minha alma, alcançai-me o que mais conforme for a uma e outra coisa. Assim seja.

Santa Zita

Ó gloriosa santa, que tão bem soubeste aliar a vida de trabalho à vida de oração, dando, como Madalena, o coração a Deus e, como Marta, os braços ao serviço do próximo. Alcançai-me de Deus Nosso Senhor esta ciência divina dos santos: a graça da santificação do trabalho pela vida de fé, uma fé viva que me ensine a ver nos acontecimentos a mão caridosa da Providência que, pelo Calvário e pela cruz, quer me conduzir ao triunfo da gloriosa bem-aventurança. Amém.

São Roque

Oração (1)

Ó Deus, que concedestes a São Roque, o vosso servo fiel, a graça de curar pelo sinal da cruz todos os que eram contaminados da peste, pelos seus merecimentos e intercessão vos pedimos nos preserveis, pela vossa misericórdia, de toda enfermidade contagiosa e duma morte repentina e imprevista. Por Jesus Cristo Nosso Senhor. Assim seja.

Oração (2)

Caridoso São Roque, cujo ardoroso coração se compadecia de todos os bichos e que, socorrido por um cachorro que lhe lambia as Chagas, há de ser o meu protetor nas enfermidades. Ó glorioso santo, vós que fostes humilde em vossos sofrimentos, ouvi a minha prece, que voz dirijo cheio de fé em vosso merecimento, perante Jesus. Livrai-nos do contágio das doenças, afastai-nos dos males da alma, a fim de que possamos ser dignos de um dia entrar no Reino dos Céus. Amém.

Santo Inácio Azevedo e companheiros

Ó gloriosos mártires, que sacrificastes o sangue e a vida para confessar a fé, alcançai-nos do Senhor a graça de estar, como vós, dispostos a sofrer, por seu amor, todas as afrontas e tormentos, para não perder uma só das virtudes cristãs; fazei que, na falta dos algozes, saibamos nós mesmos mortificar nossa carne com os exercícios de penitência, a fim de que, morrendo voluntariamente para o mundo e para nós mesmos, mereçamos viver para Deus nesta vida, a fim de vivermos com Ele por todos os séculos dos séculos. Amém.

Santa Mônica

Gloriosíssima e bem-aventurada Santa Mônica, grande na paciência, magnânima na esperança e ditosa no triunfo, mulher sábia e prudente, que soubestes edificar vossa casa e nela resplandecestes como o sol quando brilha nas alturas do céu e em tudo fostes exemplo esclarecido para a mulher cristã. Agora que estais já na "terra dos que vivem para sempre", lembrai-vos dos que ainda gememos e choramos neste vale e intercedei diante de Jesus e de Maria, Mãe da Consolação, para que tenham compaixão de tantas mães e esposas em suas tribulações e trabalhos, e para que acolham nossos gemidos e escutem nossas preces e nos concedam, como a vós, o fim de todos os nossos desejos e mereçamos, um dia, reinar e descansar na glória, como vós, rodeados de todos os seres queridos de nosso coração e louvar ali convosco as eternas misericórdias do Senhor pelos séculos dos séculos. Amém.

São Francisco das Chagas

Ó meu seráfico São Francisco, prodígio de santidade, portento da graça e imagem viva de Jesus Cristo, patriarca dos pobres, protetor das viúvas, defesa dos órfãos, médico dos enfermos, ministro da Santíssima Trindade, coluna da Igreja, a que o nosso Redentor concedeu os troféus e sinais da nossa redenção: suplico-vos que, pelos merecimentos de Nosso Senhor Jesus Cristo, e pela vossa intercessão, me alcanceis a graça (indica a graça que deseja), se for para maior honra e glória de Deus, pois em tudo me conformo com a sua santíssima vontade: porque o meu desejo é vê-lo, amá-lo e gozar a sua graça eternamente na glória. Amém.

Santa Inês

Gloriosa Santa Inês, vós que desde a mais tenra infância sentistes em vosso coração os ardores de uma viva fé e que, iluminada pela graça divina, soubestes renunciar às glórias e aos prazeres do mundo merecendo assim ser escolhida pelo próprio Deus para o número das suas esposas; vós que, pela vossa fortaleza, merecestes a palma do martírio, mostrai que sois realmente a nossa especial protetora, alcançando-nos as virtudes das quais nos destes os mais sublimes exemplos. Eis-nos aqui reunidos implorando a vossa benigna intercessão junto à nossa Mãe santíssima para que ela nos alcance de seu Divino Filho Jesus as graças necessárias para resistirmos ao influxo mau das seduções que nos rodeiam.

Não vos deixastes seduzir pelas promessas enganadoras do ímpio governador romano. Fazei que a vosso exemplo saibamos também resistir a todas as tentações e atrativos do mundo em que vivemos, a fim de que sejamos dignos de receber a palma do martírio de amor e possamos convosco, bem junto de nossa Mãe santíssima, cantar, por toda a eternidade, os louvores do nosso amado Jesus, nosso salvador e nosso pai amoroso. Assim seja.

Santa Rosa de Lima

Ó Santa Rosa, primeira flor da santidade do novo mundo, eu vos louvo e bendigo de todo o coração e com santa alegria. Quanto edificastes a santa Igreja de Deus pela vossa pureza angélica, pela vossa paciência admirável e pelo vosso ardentíssimo amor a Jesus no Santíssimo Sacramento! Por estas vossas preciosas virtudes, ó Santa Rosa, alcançai-me com a vossa piedosa intercessão a graça de guardar inviolavelmente a virtude inestimável da santa pureza do coração, de sofrer tudo por amor de Jesus e de Maria, com paciência e resignação, de receber sempre, com sincera devoção e ardentíssimo amor, o sagrado corpo e o precioso sangue de Jesus Cristo na santa comunhão. Rogai por mim, protetora minha, Santa Rosa para que Jesus sempre esteja comigo na vida e na morte e por toda a eternidade. Amém.

São Vicente de Paulo

Ó glorioso São Vicente, celeste padroeiro de todas as associações de caridade e pai de todos os infelizes que, enquanto vivestes sobre a terra, nunca faltastes àqueles que se valeram de vossa proteção: vede a multidão de males e misérias que nos oprimem e correi em nosso auxílio; alcançai do Senhor socorro para os pobres, alívio para os enfermos, consolação para os aflitos, proteção para os desamparados, caridade para os ricos, conversão para os pecadores, zelo para os sacerdotes, paz para a Igreja, tranquilidade para os povos e para todos a salvação. Sim, que todos experimentem os efeitos de vossa benéfica intercessão e que, socorridos assim por vós nas misérias desta vida, possamos reunir-nos convosco no céu, onde não haverá mais nem tristeza, nem lágrimas, nem dor, mas prazer, alegria e felicidade eterna. Amém.
Pai-nosso, Ave-Maria, Glória-ao-Pai.

São Brás

Glorioso mártir São Brás, esperança de quem vos invoca e fortaleza daqueles que vos procuram, ainda que indigno servo vosso, com toda a reverência invoco o vosso eficaz patrocínio, pedindo-vos que alcanceis perfeita saúde para meu corpo, segundo o beneplácito de Deus. Fazei que, robustecido na alma e no corpo, não pertença ao número daqueles que desalentam no caminho da perfeição cristã, mas antes que prossiga nele com coragem e confiança, a fim de alcançar a graça divina que me conduza, depois da morte, à glória eterna, para convosco, ó mártir São Brás, louvar e agradecer a Deus por todos os séculos dos séculos. Amém.

Pai-nosso, Ave-Maria e Glória-ao-Pai.

Por intercessão de São Brás, bispo e mártir, livrai-nos Deus dos males da garganta e de todos os outros males, em nome do Pai, do Filho e do Espírito Santo. Amém.

São Luís Gonzaga

Ó Luís santo, adornado de angélicos costumes, nós, vossos indigníssimos devotos, vos recomendamos especialmente a castidade de nosso corpo e de nossa alma. Rogamo-vos, pela vossa angélica pureza, que nos encomendeis ao imaculado Cordeiro Jesus Cristo e à sua Mãe santíssima, a Virgem das virgens, e nos preserveis de todo pecado. Não permitais que sejamos manchados com nódoa alguma de impureza, mas, quando nos virdes em tentação ou perigo de pecar, afastai de nossos corações todos os pensamentos e afetos impuros e, despertando em nós a memória da eternidade e de Jesus crucificado, imprimi profundamente em nossos corações o sentimento do santo temor de Deus e, afervorando-nos no amor divino, fazei que vos imitemos na terra, para que mereçamos gozar de Deus convosco no céu. Assim seja.

Pai-nosso, Ave-Maria e Glória-ao-Pai.

São Francisco de Paula

Ó glorioso São Francisco de Paula que tanto vos aprofundastes na humildade, único alicerce de todas as virtu des, alcançando através dela um grande prestígio junto de Deus, a tal ponto de jamais lhe terdes pedido graça alguma que prontamente não vos fosse concedida. Aqui venho aos vossos pés para suplicar-vos extingais do meu coração todo afeto de soberba e vaidade, e em seu lugar floresçam os preciosos frutos da humildade para que possa ser verdadeiro devoto e imitador vosso e merecer o grande patrocínio que de vossa eficaz intercessão espero e rogo me alcanceis de Deus a graça de que tanto necessito, não sendo contra a vontade do Altíssimo. Amém. Pai-nosso, Ave-Maria e Glória-ao-Pai.

Santo Isidoro

Santo Isidoro, exemplo luminoso para os que labutam nos campos e nas roças, alcançai-nos, por vossa piedade, junto à Onipotência divina que nosso trabalho seja abençoado. Deus, que distribui o sol, as chuvas e os ventos, olhe propício para nossas plantações e as faça frutificar com toda a riqueza de seus dons. Conceda a seu povo a fertilidade das terras e a proteção contra as secas, enchentes, tempestades, granizos, pragas, peste, ervas daninhas e demais males.

Que o trabalho de nossas mãos e o suor de nosso rosto alimentem o corpo, robusteçam o espírito de nossos filhos e nos unam em caridade e harmonia em torno de nossa mesa e da mesa do Senhor.

Ó santo Patrono dos campos, que, em vossa humildade e simplicidade, ainda encontráveis tempo de ajudar aos outros, afastai de nossa família toda inimizade e inveja e concedei-nos a graça de cumprirmos nossos deveres para com Deus e a santa religião, e o mandamento divino da justiça e da caridade para com o próximo. Amém.

– Que vos digneis dar e conservar os frutos da terra, nós vos rogamos, ouvi-nos, Senhor!

Santa Clara

Ó heroica Santa Clara, que em hora perigosa para a paz do vosso mosteiro e da vossa Pátria, superando medo e fraqueza e animada de fé inabalável, dirigistes ao Coração Eucarístico de Jesus esta prece: "Ó Senhor, não entregueis às feras as almas que em Vós confiam!" Vós que desassombradamente enfrentastes os bárbaros e levantando o sagrado Cibório pusestes os invasores em precipitada fuga, hoje acolhei, benigna, as nossas orações e apresentai-as, juntamente com as vossas, ao trono do divino Cordeiro, para obterdes misericórdia.

Oferecei ao seu Coração compassivo, nestes dias de provação, as angústias dos corações e os sofrimentos físicos dos povos. A Ele repeti, mais uma vez, a vossa oração confiante de justiça para o mundo, de tranquilidade e prosperidade para o Brasil e, para todos, do mais ardente amor à sagrada Eucaristia. Assim seja.

Santa Edwiges

Vós, Santa Edwiges, que fostes na terra amparo dos pobres e desvalidos e socorro dos endividados, no céu onde gozais o eterno prêmio da caridade que praticastes, confiante vos peço sede a minha advogada para que eu obtenha a graça de... (diz-se a graça) e por fim a graça suprema da salvação eterna. Amém.

Pai-nosso, Ave-Maria e Glória-ao-Pai.

São Lázaro

Meu querido São Lázaro, tu que alcançaste pela fé e pelo amor a salvação de tua carne, intercede junto ao suave Jesus por nós. Pede-lhe que nos auxilie nas horas tristes, que nos ampare em nossas dores, que livre nossas almas e nossos corpos de toda e qualquer enfermidade. Tu que tanto sofreste, tu que trazias estampadas em teu rosto tuas dores, tu que em teus olhos tristes trazias refletida a resignação de tuas penas, ajuda-nos, querido São Lázaro. A caminhada é longa, mas é doce o chegar, por isso sê o nosso amparo e acolhe nossos pedidos sendo também nosso mensageiro por caridade e coloca, aos pés do Pai, nosso pedido de misericórdia (faz-se o pedido).
Pai-nosso, Ave-Maria e Glória-ao-Pai.

São Geraldo

São Geraldo, anjo de pureza, mártir de penitência, serafim de amor e de oração, terno filho de Maria Santíssima, admirável amador da cruz, adorador assíduo da Eucaristia, perfeito imitador de Jesus obediente, peço-vos que nos comuniqueis estas divinas virtudes.
Por vosso espírito de humildade e doçura, por vossa união completa com a adorável vontade de Deus, por vossa predileção para com os aflitos, pequenos e pobres, por vosso zelo insaciável, tornai o nosso coração semelhante ao vosso.
Irmão humilde, que em poucos anos vos tornastes tão grande santo, taumaturgo de vosso século, terror dos demônios, protetor milagroso das famílias cristãs, legítimo modelo da mocidade, em vós pomos a nossa confiança.

Rogai pela santa Igreja, por nossa pátria, por nossas famílias. Rogai por nós, para que todos, imitando as vossas virtudes neste mundo, possamos um dia convosco cantar eternamente a glória do Pai, do Filho e do Espírito Santo. Assim seja.

Santa Marta

Santa Marta, santa minha, acolhei-me sob a vossa proteção, pois entrego-me ao vosso amparo, e, em prova de meu afeto para convosco, ofereço esta luz que acenderei todas as terças-feiras durante esta novena. Pela felicidade que tivestes em hospedar em vossa casa o Divino Salvador do mundo, consolai-me nas minhas penas. Intercedei hoje e sempre por mim e minha família, para que tenhamos o auxílio de Deus todo-poderoso nas dificuldades de nossa vida. Suplico-vos que tenhais misericórdia infinita para comigo, concedendo-me a graça que hoje vos peço de todo o coração (faz-se o pedido). Rogo-vos que me façais vencer os obstáculos da vida, como vós vencestes o dragão que tendes debaixo de vossos pés. Amém, Jesus. Pai-nosso, Ave-Maria e Glória-ao-Pai.

São Cosme e Damião

Ó gloriosos mártires, São Cosme e São Damião, pela invencível coragem com que professastes a fé em Jesus Cristo diante do prefeito Messias e por aquela singular fortaleza com que suportastes os cruéis tormentos da flagelação, do afogamento, do fogo e da espada, pelos quais merecestes a graça de dar testemunho de Cristo e de selar a fé com o vosso sangue. Alcançai-nos, para nós vossos devotos, a graça de permanecermos fortes na fé e de professá-la sem respeito humano, a fim de nos tornarmos dignos de dar a Jesus Cristo o testemunho de uma vida perfeitamente cristã e merecer a vida eterna que da bondade de Deus e pela vossa intercessão, seguramente, esperamos. Assim seja.

São Jorge

Oração (1)

Ó Deus, que nos alegrais com os méritos e as orações de vosso mártir São Jorge, concedei-nos, benignamente, que, implorando os vossos benefícios por sua intercessão, os obtenhamos pelo efeito de vossa graça. Por Nosso Senhor Jesus Cristo que convosco vive e reina pelos séculos dos séculos. Vós me protegestes, ó Deus, contra a conspiração dos malignos e da multidão dos que praticam a iniquidade. Aleluia, aleluia. Ouvi, ó Deus, a minha oração, assim vos imploro, livrai a minha alma do temor do inimigo. Amém.
Glória-ao-Pai.

Oração (2)

Glorioso São Jorge, protegei-me e defendei-me, com o poder de Deus, de Jesus Cristo e do Divino Espírito Santo, contra as forças de meus inimigos carnais e espirituais.
Defendei a minha casa e minha família, abrindo nossos caminhos, afastando os obstáculos que nos perturbam, dando-nos coragem e esperança.
São Jorge, creio em vós e em vós espero e confio. Ajudai-me em todas as dificuldades. Livrai-me de todo o mal.

São Jorge, santo milagroso e guerreiro, fortalecei nossa fé em Deus, em Jesus Cristo e no Divino Espírito Santo. Amém.

São Longuinho

São Longuinho, que, aos pés da cruz, abristes, com a lança, o coração crucificado, de onde jorrou sangue e água, pedi a Jesus por nós: que o seu sangue inunde, com o Espírito Santo, o mundo e a nossa vida. Que cada um tenha a alegria de penetrar no coração do Filho de Deus e receber amor e graça.
São Longuinho, ajudai-nos a agradecer. Amém.

Santa Gianna Beretta

Ó Deus, amante da vida, que deste a Santa Gianna responder com plena generosidade à vocação cristã de esposa e de mãe, concede também a nós, por intercessão dela, a graça (faça o pedido) e também seguir fielmente os teus desígnios, a fim de que resplandeça sempre nas nossas famílias a graça que consagra o amor eterno e a vida humana.
Por Nosso Senhor Jesus Cristo, teu Filho, que é Deus, e vive e reina contigo na unidade do Espírito Santo. Amém.

São Dimas

Glorioso São Dimas, agonizastes junto à cruz do Salvador e junto de Maria, Mãe e refúgio dos pecadores. Fostes a primeira conquista de Jesus e de Maria no calvário.

Fostes o primeiro santo canonizado pelo próprio Jesus Cristo, quando vos garantiu o Reino dos Céus: "Hoje estarás comigo no paraíso". Eis por que hoje, prostrados aos vossos pés, a vós recorremos confiando na infinita misericórdia que no calvário vos santificou, nas chagas de Jesus crucificado, nas dores e nas lágrimas de Maria Santíssima. Em nossa grande aflição, humilhados pelos nossos grandes pecados, mas tudo esperando de vossa valiosa proteção, vos pedimos que intercedais por nós. Valei-nos, alcançai-nos as graças que ardentemente vos suplicamos (pede-se a graça).

Pai-nosso, Ave-Maria e Glória-ao-Pai.

Santo Onofre

Ó Santo Onofre, que, pela fé, penitência e força de vontade, vencestes o vício do álcool, ajudai-me a resistir à tentação da bebida.

A vós recorro porque em vós e em Deus eu vejo uma esperança, uma luz para a minha vida. Ajudai-me sempre a ter um pensamento positivo em relação ao combate ao álcool, revigorando em mim a crença do poder de Deus, acreditando que "tudo posso naquele que me fortalece". Amém.

São Peregrino

Vós que destes um exemplo de paciência, suportando com coragem os sofrimentos de sua enfermidade, humildemente vos pedimos que intercedais junto a Deus todo-poderoso, solicitando que conceda aos que sofrem de câncer o alívio de suas dores e, se possível, a cura da doença.

São Peregrino, socorrei (fala-se o nome da pessoa doente) que está muito doente, dai-lhe alívio e, se possível, a cura. Rogai por ele(a) a Deus, pedindo resignação em seu coração. Por Cristo Nosso Senhor, Amém.

Santa Bárbara

Gloriosa virgem e mártir Santa Bárbara, que pelo vosso ardente zelo da honra de Deus padecestes, em tenebroso cárcere, fome, sede e cruéis açoites; que antes de serdes degolada pelo vosso próprio pai, milagrosamente, pudestes ainda ser confortada pelo santo Viático no caminho para a eternidade; nós vos rogamos, ó santa virgem-mártir, nos alcanceis de Deus onipotente a mercê de nos indicar sempre o verdadeiro modo de praticar o bem, a fim de que, vivendo no seu santo temor e amor e sofrendo nesta vida com paciência as tribulações que nos acometerem, possamos um dia expirar santamente no ósculo de Deus, confortados pelo Pão da Vida, no caminho para a bem-aventurança eterna.

Obtende-nos, ó Santa Bárbara, não ter morte repentina, e que nossa alma contrita entre na mansão divina. Assim seja. Pai-nosso, Ave-Maria e Glória-ao-Pai.

São Judas Tadeu

(Para ser recitada em grande aflição, ou quando se parece privado de todo o auxílio visível, e para os casos desesperados).

"São Judas, glorioso Apóstolo, fiel servo e amigo de Jesus! O nome do traidor foi causa de que fôsseis esquecido por muitos, mas a Igreja vos honra e invoca universalmente como o patrono dos casos desesperados, dos negócios sem remédio. Rogai por mim que sou tão miserável! Fazei uso, eu vos imploro, desse particular privilégio que vos foi concedido, de trazer visível e imediato socorro, onde o socorro desapareceu quase por completo.

Assisti-me nesta grande necessidade, para que eu possa receber as consolações e o auxílio do céu, em todas as minhas precisões, tribulações e sofrimentos, alcançando-me a graça... (aqui faz-se o pedido particular); e para que eu possa louvar a Deus convosco e com todos os eleitos, por toda a eternidade.

Eu vos prometo, ó bendito São Judas, lembrar-me sempre deste grande favor, e nunca deixar de vos honrar como meu especial e poderoso patrono, e fazer tudo o que estiver no meu alcance para espalhar a devoção para convosco. Amém."

São Judas, rogai por nós e por todos os que vos honram e invocam o vosso auxílio.

3 Pai-nossos, 3 Ave-Marias, 3 Glórias-ao-Pai.

Santo Inácio

Glorioso patriarca Santo Inácio, que, pela celestial luz que iluminou vossa mente, pelo amor divino que abrasou vosso coração e pela contínua união da vossa alma com Deus, vos tornastes um claríssimo exemplo de caridade para com o mesmo Senhor, fazei que, participando de vosso ardor, ame também ao meu Deus sobre todas as coisas. Amém.

São João Bosco

Necessitando eu de particular auxílio, a vós recorro com grande confiança, ó São João Bosco. Preciso de graças espirituais e também temporais e especialmente... (dizer a graça). Vós que fostes tão devoto de Jesus sacramentado e de Maria Auxiliadora e vos compadecestes tanto das humanas desventuras, obtende-me de Jesus e de sua celeste mãe a graça que vos peço e também uma grande resignação à vontade de Deus.

Pai-nosso, Ave-Maria, Glória-ao-Pai.

São Raimundo Nonato

Glorioso São Raimundo, eu vos tomo por meu especial advogado perante Deus, eu vos rogo vossa proteção a fim de que me alcanceis de Deus todas as graças de que necessito, auxílio nas tentações e misericórdia nas fragilidades; principalmente a graça de uma boa morte, para convosco ir gozar e louvar a Deus por todos os séculos dos séculos. Suplico-vos também que alcanceis (diz-se a graça) e se o que peço não for para a maior glória de Deus e bem da minha alma, alcançai-me o que mais conforme for a uma e outra coisa. Amém.

São Manuel

Ó glorioso mártir São Manuel, perfeito modelo de paciência, que suportastes toda sorte de humilhações até derramardes o vosso sangue e chegardes ao ponto de dardes a vida por amor de Jesus, tudo isto com paciência a mais perfeita, alcançai-nos de Jesus abraçar sempre com todo o amor a pequena cruz das contrariedades e aflições inevitáveis nesta vida.

À vossa poderosa intercessão recorro cheio de confiança. Ensinai-me a vencer os momentos da ira e impaciência, aceitando corajosamente todas as humilhações que os homens me fizeram a fim de provar meu amor ao nosso amável Senhor Jesus Cristo, a quem sejam dadas todas as honras e glórias por todos os séculos dos séculos. Amém.

Santa Tecla

Oh! bem-aventurada Santa Tecla, fortalecida por Deus, que fostes discípula de Paulo e a primeira mártir e propagadora da fé cristã, que pisastes no fogo como se fosse na selva, respeitada pelas feras e animais por vos haverdes armado com a cruz, oh! companheira dos apóstolos, rogai a Jesus pela salvação de nossas almas! Amém.

São Jerônimo

Ó Senhor Deus que vos dignastes prover a vossa Igreja com o bem-aventurado Jerônimo, vosso confessor e doutor máximo na exposição das Sagradas Escrituras, nós vos rogamos que com o vosso auxílio, mediante a sua intercessão, possamos exercer tudo o que, com as boas obras e exemplo, ensinou. Por Nosso Senhor Jesus Cristo que vive e reina por todos os séculos dos séculos. Amém.

Jerônimo santo,
Máxima luz da Igreja,
O vosso patrocínio
Sempre nos proteja.
Rogai por nós a Deus eficazmente,
Jerônimo santo e forte.

Assisti-me agora e na hora da morte. Amém.
Pai-nosso, Ave-Maria e Glória-ao-Pai.

Santa Catarina

Virgem e mártir, flor divina, gloriosa Santa Catarina, por aquela fé viva, que vos animou desde a mais tenra idade, e que vos fez tão agradável aos olhos de Deus, que merecestes não só a coroa do martírio, mas também confundistes os sábios deste mundo e os convertestes à religião de Cristo, alcançai-nos, nós vo-lo pedimos, a graça de conservarmos a nossa fé em toda a sua pureza e de professá-la sinceramente todos os dias de nossa vida, e como sois nossa padroeira e intercessora junto a Deus obtende-nos a graça, que agora vos suplicamos de todo coração:
(Faz-se a súplica).
Pai-nosso, Ave-Maria e Glória-ao-Pai.

Santa Joana d'Arc

Ó Santa Joana d'Arc, vós, que, cumprindo a vontade de Deus, manifestada por vozes de anjos, de espada em punho, vos lançastes à luta, por Deus e pela Pátria, ajudai-me a perceber, no meu íntimo, as inspirações de Deus. Com o auxílio da vossa espada, fazei recuar os meus inimigos que atentam contra a minha fé e a minha Pátria.
Santa Joana d'Arc, ajudai-me a vencer as dificuldades no lar, no emprego, no estudo e na vida diária. Que nem opressões, nem ameaças, nem processos, nem mesmo a fogueira me obriguem a recuar, quando estou com a razão e a verdade.

Santa Joana d'Arc, iluminai-me, guiai-me, fortalecei-me, defendei-me. Amém.

São Camilo de Lelis

Ó Deus, que inspirastes a São Camilo de Lelis extraordinária caridade para com os enfermos, dai-me o vosso espírito de amor para que saiba suportar, com paciência, os meus sofrimentos. Por intermédio de São Camilo socorrei-me em minha doença; aliviai as minhas dores. Ó meu santo protetor, intercedei junto a Jesus Cristo que tanto amaste, para que, neste momento de dor, não me falte a força e a coragem de suportar a doença; fortalecei meu ânimo, para que, passando pelo sofrimento, me purifique dos meus pecados e também possa ajudar meus irmãos mais necessitados. Amém.
Pai-nosso, Ave-Maria e Glória-ao-Pai.

São Valentino

Ó Jesus Cristo, Salvador nosso, que viestes ao mundo para o bem das almas dos homens, mas que fizestes tantos milagres para dar saúde ao corpo; que curastes cegos, surdos, mudos e paralíticos; que curastes o menino que sofria de ataques e caía na água e no fogo; que libertastes aquele que se escondia entre os túmulos do cemitério; que expulsastes os maus espíritos dos possessos que espumavam; peço-vos, por intermédio de São Valentino, a quem destes o poder de curar os que sofrem de desmaios e ataques, livrai-nos da epilepsia.
São Valentino, peço-vos especialmente que restituais a saúde a... (dizer o nome do doente). Fortalecei-lhe a fé e

a confiança. Dai-lhe coragem, ânimo e alegria nesta vida para que possa render-vos graças a vós, São Valentino, e adorar a Cristo, o divino médico do corpo e da alma. Pai-nosso, Ave-Maria e Glória-ao-Pai.

Santo Expedito

Ó grande Santo Expedito, mártir e soldado de Cristo, que com toda a generosidade vos consagrastes a Deus, sacudindo toda a frouxidão em seu serviço, ajudai-me com vossas orações junto de Deus, para que eu também me arrependa de meus pecados e me converta para Deus, servindo-o com todo o fervor. Vós não tivestes receio de sacrificar a vida e derramar o sangue pelo santo nome de Jesus Cristo; ensinai-me a me sacrificar igualmente pela glória de Deus e pela salvação de minha alma. Pois para que me servirá o mundo inteiro se vier a perder meu Deus? Por isso recomendo-me a vossas poderosas súplicas, para que me alcanceis de Deus a graça de procurar em primeiro lugar os interesses de minha alma.
Afinal, peço-vos também que me ajudeis em minhas necessidades e me alcanceis a graça que, humildemente, imploro de vossa caridade. Amém.

Santa Apolônia

Ó gloriosa Apolônia, por aquela dor que padecestes, quando, por ordem do tirano, vos foram arrancados os dentes que tanto decoro ajuntavam ao vosso angélico rosto, obtende do Senhor a graça de estarmos sempre livres de qualquer moléstia relativa a este sentido ou pelo menos de sofrê-la constantemente com imperturbável resignação. Amém.

Pai-nosso, Ave-Maria e Glória-ao-Pai.

Santa Filomena

Ó virgem Santa Filomena, dignai-vos receber-me debaixo de vosso amparo e guardar-me com a vossa proteção. Para que seja mais digno de vosso socorro, obtende-me do Altíssimo aquela vossa pureza inviolável pela qual sacrificastes as pompas do mundo; dai-me aquela força de ânimo que vos fez resistir aos maiores martírios. Rogai a Deus, ó Santa Filomena, me conceda, pela vossa intercessão, o perdão de minhas culpas e que me torne digno de ir viver convosco na glória eterna de Deus Onipotente. Amém.

Pai-nosso, Ave-Maria e Glória-ao-Pai.

São Pascoal

Ó São Pascoal, meu celeste advogado, que fostes o discípulo fiel daquele que disse: aprendei de mim que sou manso e humilde de coração, lançai sobre mim vosso olhar. Oh! como estou longe deste belo exemplo de nosso Redentor! como sou orgulhoso, soberbo, desdenhoso. Vós, santo amabilíssimo, pedi a Jesus que me encha o coração de humildade, daquela humildade que vos mereceu tantos favores sobre a terra; e sobretudo alcançai-me fé viva, ardente amor para com Jesus eucarístico, a fim de que como vós e convosco possa contemplá-lo, não mais velado na hóstia, mas face a face na glória celeste. Assim seja.

Santo do próprio nome

Grande santo (santa) cujo nome tenho a felicidade de ter, vós a quem Deus confiou o cuidado de minha salvação, quando pelo santo batismo me adotou por um de seus filhos, alcançai-me, por vossa intercessão, a graça de levar uma vida conforme o espírito de Cristo. Ajudai-me, caritativo protetor da minha vida, a recuperar a graça do batismo que eu perdi pelo pecado. Alcançai-me de Deus por meio de vossos rogos a graça de imitar fielmente as vossas virtudes. Protejei-me durante toda a vida e não me desampareis na hora da minha morte. Amém.

Índice

Sumário, 5
Apresentação, 7

Orações quotidianas, 9
Alma de Cristo, 12
Anjo da guarda, 18
À Santíssima Trindade, 14
Ato de Caridade, 21
Ato de Contrição, 21
Ato de Esperança, 21
Ato de Fé, 20
Ato de Fé, Esperança e Caridade, 21
Ato de Louvor diante do Santíssimo Sacramento, 13
Ave-Maria, 9
Bênção de São Francisco, 18
Consagração a Nossa Senhora, 15
    Oração (1), 15
    Oração (2), 15
    Oração (3), 15
Consagração da família a Nossa Senhora, 15
Credo, 10
Glória-ao-Pai, 10
Lembrai-vos (de São Bernardo), 16

O Anjo do Senhor, 11
Oração diante do crucifixo, 13
Orações de São Francisco, 16
À entrada e saída da igreja (I, II, III, IV), 16s.
Os Cinco Mandamentos da Igreja, 20
Os Dez Mandamentos, 20
Pai-nosso, 9
Pela Igreja, 13
Rainha do Céu, 12
Salve-Rainha, 11
São Gabriel Arcanjo, 19
São Miguel Arcanjo, 18
São Rafael Arcanjo, 19
Sinal da Cruz, 9
Vinde, Espírito Santo, 10

Orações para diversas circunstâncias, 23
Antes das refeições, 25
Depois das refeições, 26
Nossa Senhora pelas crianças, 29
Oração da manhã, 23
    Oferecimento do dia, 23
Saudação do dia, 23
Orações da noite, 24
    Agradecimento, 24
    Ao deitar, 25
    Ato de contrição, 24
    Oração para o final do dia, 24
O Santo Rosário, 32
    Como se reza o rosário, 32
    Oração inicial, 33

I. Mistérios Gozosos, 33
II. Mistérios Luminosos, 34
III. Mistérios Dolorosos, 34
IV. Mistérios Gloriosos, 35
Oração final, 36
Para antes de uma viagem, 28
Pela família, 28
Oração (1), 28
Oração (2), 28
Pelas vocações, 30
Oração (1), 30
Oração (2), 31
Pelos pais, 29
Por um doente, 30
Terço da misericórdia, 36
Via-sacra, 37
Oração preparatória, 37
Oração final, 52

Orações à Santíssima Trindade, 53
À Santíssima Trindade, 53
À Santíssima Trindade (de São Francisco), 54

Orações a Jesus Cristo, 55
Bom Jesus dos aflitos, 62
Consagração ao Sagrado Coração de Jesus, 55
Consagração das famílias ao Sagrado Coração
    de Jesus, 58
Convite de amor de Jesus, 60
Cristo Rei, 55
Dos estudantes ao Menino Jesus de Praga, 60

Menino Jesus de Praga para os casos desesperados, 59
Sagrado Coração de Jesus, 56
Saudações ao Sagrado Coração de Jesus, 57

Orações ao Espírito Santo, 63
Espírito Santo, 67
Espírito Santo nas tribulações, 66
Novena do Divino Espírito Santo, 63
Para alcançar os sete dons, 64
Para alcançar os doze frutos, 65

Orações a Nossa Senhora, 69
Imaculada Conceição, 75
Imaculado Coração de Maria, 70
Maria, Rosa Mística, 71
    Oração (1), 71
    Oração (2), 72
Nossa Senhora (de Santo Anselmo), 69
Nossa Senhora (de São Francisco), 69
Nossa Senhora Aparecida, 86
Nossa Senhora Auxiliadora, 98
Nossa Senhora da Boa Morte, 98
Nossa Senhora da Boa Viagem, 92
Nossa Senhora da Cabeça, 89
Nossa Senhora da Consolação, 94
Nossa Senhora da Glória, 91
Nossa Senhora da Medalha Milagrosa (1), 81
Nossa Senhora da Medalha Milagrosa (2), 89
Nossa Senhora da Paz, 84
Nossa Senhora da Piedade, 93
Nossa Senhora da Purificação, 82
Nossa Senhora da Salete, 83

Nossa Senhora da Saúde, 77
Nossa Senhora das Dores, 76
Nossa Senhora das Graças, 75
Nossa Senhora de Fátima, 85
Nossa Senhora de Guadalupe, 79
  Oração (1), 79
  Oração (2), 80
  Oração (3), 80
Nossa Senhora de Lourdes, 83
Nossa Senhora de Nazaré, 86
Nossa Senhora Desatadora dos Nós, 96
Nossa Senhora do Amparo, 81
Nossa Senhora do Bom Conselho, 95
Nossa Senhora do Bom Parto (1), 88
Nossa Senhora do Bom Parto (2), 97
Nossa Senhora do Caravaggio, 92
Nossa Senhora do Carmo, 85
Nossa Senhora do Desterro, 87
Nossa Senhora do Montserrat, 91
Nossa Senhora do Ó, 95
Nossa Senhora do Perpétuo Socorro, 87
Nossa Senhora do Rosário, 76
Nossa Senhora do Sagrado Coração, 94
Nossa Senhora do Santíssimo Sacramento, 99
Nossa Senhora dos Navegantes, 82
Nossa Senhora dos Aflitos, 96
  Oração (1), 96
  Oração (2), 97
Nossa Senhora dos Remédios, 90
Nossa Senhora Medianeira, 78

Ofício da Imaculada Conceição da Virgem Maria, 99
Reparadora ao Coração Imaculado de Maria, 70
Rosário das lágrimas e sangue, 73
Sete mistérios (Dores de Nossa Senhora na terra), 74
    Oração final, 74

Ladainhas, 109
Nossa Senhora, 109
Sagrado Coração de Jesus, 111
Santo Antônio, 115
São Francisco, 117
São José, 113

Devoção às almas do purgatório, 121
Nossa Senhora da Consolação pelas almas, 122
Pelas almas, 122
Pelos falecidos, 121

Devoção aos santos, 125
Frei Galvão (Santo Antônio de Sant'Anna Galvão), 139
    Oração (1), 139
    Oração (2), 139
Santa Ana, 143
Santa Apolônia, 164
Santa Bárbara, 158
Santa Catarina, 162
Santa Clara, 152
Santa Edwiges, 152
Santa Filomena, 165
Santa Gianna Beretta, 156
Santa Inês, 147

Santa Joana d'Arc, 162
Santa Luzia, 138
Santa Margarida Maria, 136
Santa Marta, 154
Santa Mônica, 146
Santa Rita de Cássia, 141
    Da esposa a Santa Rita, 142
    Oração (1), 141
    Oração (2), 141
Santa Rosa de Lima, 148
Santa Tecla, 161
Santa Teresinha, 140
Santa Zita, 145
Santo Afonso Maria de Ligório, 134
Santo Antônio, 128
    Cinco minutos diante de Santo Antônio, 130
    Oração dos namorados, 129
    Para pedir saúde, 130
    Para pedir serviço, 129
    Para que nunca falte o pão, 128
    Quando a solidão pesa, 130
    Santo Antônio (Responsório), 132
Santo do próprio nome, 166
Santo Expedito, 164
Santo Inácio, 159
Santo Inácio Azevedo e companheiros, 146
Santo Isidoro, 151
Santo Onofre, 157
São Benedito, 137
São Brás, 149

São Camilo de Lelis, 163
São Cosme e Damião, 154
São Cristóvão, 137
São Cristóvão, Padroeiro dos Motoristas, 136
São Dimas, 156
São Francisco das Chagas, 147
São Francisco de Assis, 127
    Oração (1), 127
    Oração (2), 127
São Francisco de Paula, 150
São Francisco Xavier, 144
São Geraldo, 153
São Jerônimo, 161
São João Batista, 133
São João Bosco, 160
São João Paulo II, 139
    Oração (1), 139
    Oração (2), 140
São Joaquim, 144
São Joaquim e Santa Ana, 143
São Jorge, 155
    Oração (1), 155
    Oração (2), 155
São José, 125
    Oração (1), 125
    Oração (2): Por uma causa difícil, 126
    Oração (3), 126
São Judas Tadeu, 158
São Justino, 138
São Lázaro, 153

São Longuinho, 156
São Luís Gonzaga, 150
São Manuel, 160
São Pascoal, 165
São Pedro, 135
São Peregrino, 157
São Raimundo Nonato, 160
São Roque, 145
    Oração (1), 145
    Oração (2), 145
São Sebastião, 135
São Valentino, 163
São Vicente de Paulo, 149

Conecte-se conosco:

- **f** facebook.com/editoravozes
- **◉** @editoravozes
- **𝕏** @editora_vozes
- **▶** youtube.com/editoravozes
- **☏** +55 24 2233-9033

www.vozes.com.br

Conheça nossas lojas:

www.livrariavozes.com.br

Belo Horizonte – Brasília – Campinas – Cuiabá – Curitiba
Fortaleza – Juiz de Fora – Petrópolis – Recife – São Paulo

EDITORA VOZES LTDA.
Rua Frei Luís, 100 – Centro – Cep 25689-900 – Petrópolis, RJ
Tel.: (24) 2233-9000 – E-mail: vendas@vozes.com.br